일상 속에서 발견하는 나만의 길

자전거타고 여행하는 조금은 느린 나의 일기

일상 속에서 발견하는 나만의 길

발 행 | 2024년 03월 15일
저 자 | 김상미
펴낸이 | 한건희
펴낸곳 | 주식회사 부크크
출판사등록 | 2014.07.15.(제2014-16호)
주 소 | 서울특별시 금천구 가산디지털1로 119 SK트윈타워 A동 305호
전 화 | 1670-8316
이메일 | info@bookk.co.kr

ISBN | 979-11-410-7636-8

www.bookk.co.kr

일상 속에서 발견하는 나만의 길

김상미 지음

목 차

프롤로그 바쁜 일상에서 꿈을 잊은 채 살아가는 이 세상의 엄마들에게

PART 01. 꿈 발견하기

1. 메말라 가는 꿈을 구하라

1.1. 나의 꿈이 진짜 나를 찾는다

1.2. 장난처럼 느껴지는 나의 운명

1.3. 꿈을 꾸지만, 마냥 아름답지는 않다

1.4. 무대의 주인공이 되는 방법

2. 미래를 책임질 버킷리스트 작성

2.1. 나의 0순위, 내 안의 나

2.2. 나의 이름에 속지 마라

2.3. 마음속 깊이 내면의 신호를 듣다

PART 02. 꿈 성장시키기

1. 새싹 꿈과 비전을 성장시키는 방법

1.1. 우리 엄마처럼은 살지 않기

1.2. “나다움”을 찾고 싶은 나

1.3. 완벽한 아내 말고 꿈꾸는 아내

2. 꿈에 대한 시험과 도전
2.1. 하늘에서 뚝 떨어지는 꿈은 없다
2.2. 86,400원의 기적, 시간을 되살려라
2.3. 아는 사람과 모두 좋은 관계일 필요는 없다

3. 메모를 통해 진짜 나를 발견하는 방법
3.1. 메모로 어제의 나, 오늘의 나 차이를 발견하다
3.2. 메모로 꿈 방정식을 수립한다
3.3. 나의 감정 메모로 진짜 나를 돌아보고 사랑한다

PART 03. 꿈 실현하기
1. 꿈을 실현하는 1년 기록
1.1. 1년을 살기 위한 한 달의 의미
1.2. 꿈과 비전을 잇는 1년의 방향성 찾기
1.3. 1년을 바꾸는 매일의 3가지 습관
1.4. 버킷리스트를 통한 꿈의 선명도
1.5. 매일의 기록으로 상상이 아닌 현실화하라

2. 보통의 삶을 삭제하라
2.1. 보통 사람처럼 살고 싶다는 것에 대한 의심
2.2. 보통 사람을 원하면 미래 가난이 플러스 된다
2.3. 당신의 꿈에 무엇을 설치할 것인가

3. 미리 그려보는 밑그림을 통한 꿈의 발자취
3.1. 밑그림이 현실로 바뀌는 이유
3.2. 미리 그려보는 미래를 통한 발자취
3.3. 보통을 생각하면 보통의 삶이 그려진다

4. 꿈을 강하게 끌어당겨라
4.1. 언제 이루어지는가
4.2. 끌어당김의 긍정 확언
4.3. 매일 마음 가득 꿈을 꾸어라

5. 미래의 나를 통해 오늘을 살아간다
5.1. 그냥 시작해라
5.2. 미래의 나는 현재의 자신이다
5.3. 내가 평생 꿈꾸는 나의 긍정 확언
5.4. 내 묘비명을 통한 삶의 거름

6. 미래를 미리 그리는 당신은 꼭 성공한다
6.1. 페르소나로 살지 마라
6.2. 자신의 게으름을 뛰어넘는 방법

에필로그 나만의 진정한 꿈에 도전하고 성취할 이 시대 모든 엄마를 응원합니다.

프롤로그: 바쁜 일상에서 꿈을 잊은 채 살아 가는 이 세상의 엄마들에게

바쁜 일상에서 꿈을 잊고 살아가는 여러 엄마에게 마음을 전하고 싶어서 이 글을 쓰게 되었습니다. 너무나도 바쁘게 살다 보면, 가끔은 자신의 소망과 꿈을 뒷전으로 하게 되는 건 어쩌면 당연한 일인 것 같습니다. 이러한 일상에서 어린 시절의 꿈들이 어디로 사라져 버렸을까? 하는 아쉬움이 가끔 찾아오지 않나요? 하지만 지금까지 바쁜 일상을 이겨내고 계신 여러 엄마에겐 이미 소중한 가치와 힘을 갖추고 있습니다. 아무리 힘들고 바쁘더라도, 여전히 소망과 꿈을 키우는 게 가능하다는 것입니다.

매일 아침, 가족을 챙기고, 일에 힘쓰며 밤늦게까지 정신없이 헤매다 보면 언젠가는 자기 자신을 잃어버린다는 생각이 들곤 합니다. 가끔은 "나는 누구였더라?"라고 묻는 그런 시간이 필요하다고 생각해 봅니다. 엄마로서, 부인으로서, 그 외의 여러 역할 속에서 자신을 찾기 어려운 일입니다.

가족을 위해 희생하는 것이 당연한 것처럼 여겨지는 세상에서, 자신의 꿈을 잃어가는 게 어쩌면 불가피한 일로 여겨지기도 합니다. 하지만 작은 변화가 큰 차이를 만들어낼 수 있다는 것을 잊지 마세요. 어쩌면 아침에 조금 일찍 일어나서 창문 밖으로 바라보며, 여유롭게 커피를 즐기는 그런 시간이 필요한 걸지도 모르겠습니다. 그 작은 순간이 마음을 안정시키고, 꿈을 향한 열망을 되새기는 좋은 기회가 될 것입니다.

가족과 함께하는 시간도 소중하게 여기세요. 일상을 벗어나 가족과 함께하는 작은 여행이나 소풍도 좋을 것 같습니다. 그런 순간들이 우리의 일상에 새로운 활력을 불어넣어 줄 것입니다. 가족과 함께하는 특별한 순간들이 꿈을 키우는 데에도 큰 힘이 될 거라 믿습니다.

그리고 자기 내면을 살펴보는 혼자만의 시간도 소중하게 여기세요. 가끔은 아무도 없는 공간에서 멍때리는 시간도 필요합니다. 그 시간을 통해 지난 온 날들을 되돌아보며 자신을 피드백하며 그렇게 성장하는 시간을 가진다면 앞으로 살아가는 힘을 얻게 됩니다.

이 글은 여러 엄마에게 전하고 싶은 메시지를 담았습니다.
우리는 여전히 소중한 개인이고, 꿈을 키우는 게 가능하다는 것을 잊지 마세요.
바쁜 일상들의 연속이지만 그 속에서 진짜 나를 찾고 싶은 마음이 있다면 그것으로 충분합니다. 처음 시작은 미약하지만, 그 시작이 꿈으로 나아가는 길목이 되어 줄 것입니다.

작은 행동들이 모여 큰 변화를 만들어내곤 합니다.
또 작은 습관들이 모여 큰 변화를 만들어내곤 합니다.
우리의 소망과 꿈을 향한 여정이 더욱 풍요로워질 수 있기를 기대해 봅니다.
함께 꿈을 키우는 여정, 지금 시작해 보세요.
이 글을 읽는 당신은 그 여정의 주인공이자 꿈을 키울 자격이 충분히 있다는 것을 잊지 마세요. 우리의 소망과 꿈을 향한 발걸음이 더욱 풍요로워질 수 있기를 기대해 봅니다.
함께 꿈을 키우는 발걸음, 지금 시작해 보세요.

이제 선택은 여러분의 몫입니다.
꿈의 서랍장을 꺼낼 마음의 준비가 되셨나요?
꿈을 키우는 발걸음의 여정을 출발해 볼까요?

2024년 3월

김상미

"당신이 누구인지, 무엇을 진정으로 원하는지
발견하는 것이 모든 성공의 열쇠다."
- 오프라 윈프리

PART 01. 꿈 발견하기

1. 메말라 가는 꿈을 구하라

1.1. 나의 꿈이 진짜 나를 찾는다

어느 날 문득 어린 시절의 꿈이 떠올랐습니다.

그렇게 어쩌다가 떠오른 그림자 같은 어린 시절의 꿈.

그것이 나의 깊은 곳에서 살아있었다니 신기합니다. 삶을 살아가면서 잠시 잊혔던 나의 꿈이 어쩌면 나를 찾아오고 있는 것일지 모릅니다.

어렸을 때 나는 뭐든 할 수 있는 하늘을 나는 비행사가 되고 싶었습니다. 하늘을 맘껏 날아가는 비행사가 되면 어디든 갈 수 있다는 막연한 생각들을 가지고 있었던 어린 시절이 있었습니다. 성인이 되고 알게 되었습니다. 비행사는 어디든 갈 수 있는 직업이 아니었다는 것을요. 정해진 곳을 가야 하는 비행사. 그렇게 그 꿈은 사라져가고 있었습니다. 회사에서 업무와 나의 삶은 여러 가지 일들 속에서 그것들에 대한 부담에 휘둘리며 꿈은 무색해져만 가고 있었습니다.

그러나 이 책은 바로 자신의 역경을 이겨내고 방법을 찾아 그 꿈을 찾아가는 길입니다.

"나의 꿈이 진짜 나를 찾는다"라는 말이 신비로울 수 있겠지만, 정말 나 자신과 소통하면서 내 안의 꿈을 찾아가는 여행이라고 생각해 봐야 합니다. 어린 시절 나에게 돌아가 보면, 그 꿈에는 나름의 의미와 가치가 있었습니다. 다만 지금은 기억 저편의 어두운 동굴 속에 넣어두어 꺼내지 못하는 것일 뿐입니다. 이루어지지 못하는 것이 아니라 할 수 없다고 치부해 버린 나의 어린 시절의 꿈.

나는 왜 우주 비행사가 되고 싶었는지 스스로 질문해 봤습니다. 그 꿈은 자유와 확장된 세계에 대한 나만의 동경에서 나왔습니다. 한비야 작가의 《지도 밖으로 행군하라》을 읽고 현재 내가 거주하고 있는 지방이 아닌 다른 세상 밖으로 행군하고 싶었습니다. 그를 통해 대한민국 밖으로 나가 외국으로 행군하고 싶었습니다. 지방이 안 좋아서 아니라 틀을 깨지 않는 삶에서 벗어나 새로운 삶을 찾고 싶었습니다. 어느 순간 틀에 박히고 익숙한 삶에서 안주하고 있다는 생각이 들었습니다. 그렇게 다른 세상으로 행군함으로써 세상 밖으로 나가 도전과 피드백을 통해 더 큰 자유를 얻고자 했습니다. 어른이 되면서 그 꿈은 현실에 휩쓸리고 잊혀 갔지만, 이제는 다시 찾아가려는 것입니다.

스스로 질문을 통해 나의 어린 시절 꿈을 상기하고, 그 꿈이 나에게 주는 힘과 의미를 찾아가게 되었습니다.
“내가 진짜 하고 싶은 일은 뭘까?”

“나는 어떤 일을 좋아할까?”
“어떤 일을 했을 때 돈도 함께 벌 수 있을까?”
라고 스스로에게 여러 가지 질문을 던지기 시작했습니다.
이제 과거의 꿈을 찾던 나를 다시 발견하고, 무엇이 나에게 진정으로 중요한지를 깨닫게 해줄 첫걸음이 될 것입니다. 이 꿈을 통해 나는 어떤 새로운 모습을 만나게 될지 기대됩니다.

바쁜 일상들 속에서 꿈은 나와는 별개의 세상이라고 생각했었습니다. 그렇게 잊힌 꿈을, 나를 통해 다시 꺼내어 지금까지 살아온 삶에서의 경험과 실패를 통해 더 나은 미래를 만들고 싶습니다. 과거에 실패가 두려웠다면 지금은 실패보다 하지 않는 것이 더 두렵습니다. 행하지 않고 후회하기보다 실천하고 행동하려고 합니다. 새로운 것에 대한 두려움보다 하지 않음을 후회하지 않기 위해 오늘도 작은 도전을 실천합니다.

그리고 이 여정을 통해 나의 꿈을 찾아가면서, 나만의 에너지와 열정을 되찾고, 지금보다 더 나은 내일을 향해 걸어갈 것입니다.
그 길에 역경이 닥칠지도 모릅니다.
누군가는 “그 나이에 무슨 꿈이냐?”
“애들도 있는데 돈을 벌어야지.”라고, 얘기할지도 모릅니다. 그리고 현실을 살아가는 나로서도 돈이 필요하니 포기하고 싶은 마음이 들지도 모릅니다. 그러나 세상에 태어나 내가 하고 싶은 일을 찾고 싶다는 마음이 더 커졌습니다. 소설가 마크 트웨인은

"우리 삶에서 가장 중요한 두 날이 있다면 하루는 우리가 태어난 날이고 또 하루는 그 이유를 알게 되는 날이다."라고 하였습니다. 어쩌면 그것은 내가 세상에 태어난 이유를 찾기 위함일 수도 있을 것입니다. 그렇게 나의 꿈을 찾기 위해 첫발을 내디뎌보면서 자신의 꿈 그리고 당신의 꿈을 찾아보면 어떨까요?

1.2. 장난처럼 느껴지는 나의 현재 운명

일상의 소소한 순간들이 어느새 나의 삶을 꾸미고 있었습니다. 그러나 이 작은 장면들이 무심코 지나쳐갔던 듯한 느낌이 들었습니다. 그런데 어느 날, 내 안에서 작은 물음표가 커져 나가더니 나를 자세히 들여다보게 했습니다.

고등학교 시절 누군가의 엄마 그리고 며느리로 사는 모습을 상상하지 못했습니다. 어쩌면 진짜 내 모습을 상상하기보다 드라마의 한 장면을 떠올렸는지도 모릅니다. 드리마에서 보이는 모습은 달랐습니다. ‘저런 삶이라면 참 살만하겠구나’라는 생각이 들었던 철없던 여고생 시절. 어느새 삶이라는 여정 속을 살아오면서 나보다 다른 사람을 먼저 생각하는 내가 되어있습니다. 그렇게 지내온 나날 속에서 나의 운명은 이제 어느 방향으로 흘러가고 있을까요? 그런 생각들이 나를 지배하는 날들의 횟수가 많아졌습니다.

"나만의 꿈은 무엇일까?" 이러한 질문은 가벼운 농담처럼 여겨졌지만, 이 작은 호기심은 저를 더 심오한 사색으로 이끌었습니다. 삶이란 과연 나에게 무슨 이야기를 들려주고자 하는 것일까? 나만의 운명이 과연 존재하는가에 대한 궁금증이 점점 커져만 갔습니다.

그 궁금증이 나를 새로운 모험으로 이끌었습니다. 지금까지는 지나치게 가벼운 듯한 내 삶이, 갑자기 큰 의미와 이야기를 품고 있다는 것을 깨달았습니다. 어려움과 두려움 속에서도 내 안에 잠재된 이야기를 찾아 나선 것은 나에게 큰 도전이었습니다. 그러나 이 도전들이 나에게 내면의 실체를 발견하게 해주었습니다.

지금은 나만의 현재 운명이 큰 문으로 열려있다는 것을 느낍니다. 이전에는 장난처럼 가볍게 여겨졌던 나의 삶은 더 이상 그런 것이 아니며, 저는 나만의 독특한 이야기를 만들어가고자 하는 드라마의 주인공이 되었습니다. 지금까지 세상에서는 주인공이 되지 못했지만, 이제는 삶이라는 드라마에서 주인공이 되고자 합니다. 장난처럼 느껴졌던 나의 운명 속 작은 틈새에서 찾아낸 보물들이 나를 더 깊은 삶의 여정으로 안내하고 있습니다.

그 여정 속에서 나의 운명을 만나려고 합니다. 운명이 쉽게 찾아지지는 않겠지만 그런데도 불구하고 이제는 포기보다 저를 더 들여다보면서 찾을 것입니다.
이제 남은 인생의 주인공은 저입니다. 내가 있고 가족이 있으며, 내가 있고 세상이 있습니다. 나 없는 세상은 상상하기보다 내가 있는 세상을 그리며 저에게 맞는 운명을 찾을 것입니다. 그러한 시간이 1년, 3년, 5년보다 더 오랜 시간이 걸릴지도 모릅니다. 하지만 중요한 것은 그 목표를 향한 굳은 의지입니다. 그 의지만 있다면, 타인의 말에 흔들리지 않고 내 길을 걸을 수 있을 것입니다.

"당신의 삶은 당신의 메시지다." -마하트마 간디
예를 들어, 소설가가 되고자 하는 꿈을 가진 사람이 있습니다. 이 사람은 매일 글을 쓰며 자기 기술을 연마합니다. 처음에는 출판사에서 거절당하는 일이 잦았지만, 포기하지 않고 계속해서 글을 썼습니다. 그리고 언젠가, 그의 소설이 큰 상을 받게 되며, 그는 꿈을 이루었습니다. 이 예시처럼, 우리 각자는 자신만의 꿈을 가지고 있으며, 그 꿈을 이루기 위해 꾸준히 노력할 때, 우리의 삶 자체가 우리가 전하고자 하는 메시지가 됩니다. 꿈을 향한 여정은 단지 성공적인 결과에 도달하는 것만이 목표가 아니라, 그 과정에서 우리가 배우고 성장하는 경험들이 우리 삶의 진정한 가치를 만들어냅니다.

이 여정에서 저는 단순히 제 운명을 찾아가는 것이 아니라, 삶의 진정한 의미를 발견하려 합니다. 나만의 이야기를 만들어 가며, 그 과정에서 저만의 가치와 행복을 찾는 것이 목표입니다. 내가 있는 세상에서 내 역할을 찾아내고, 그 역할을 통해 나와 주변 사람들에게 긍정적인 영향을 미치고자 합니다.

나의 운명과의 대화는 단지 시작에 불과합니다. 앞으로 저를 기다리는 무수한 경험과 발견은 제 삶을 더욱 풍요롭게 할 것입니다. 이제 남은 인생을 주인공으로서 살아가기 위해, 저는 날마다 의미 있고 가치 있게 만들기 위한 노력을 멈추지 않을 것입니다. 나의 운명을 찾아가는 여정은 저에게만 해당하는 이야기가 아니라, 모든 이들이 자신만의 여정을 통해 진정한 자아를 발견하고, 자신의 꿈을 실현할 수 있는 영감을 주기를 바랍니다.

삶의 주인공이 되는 길은 절대 쉽지 않지만, 그만큼 보람차고 의미 있는 여정입니다. 저와 같은 여정을 떠나고자 하는 이들에게, 포기하지 않고 자신의 운명을 찾아가는 용기와 희망을 전하고 싶습니다. 우리 모두 자기 삶에서 진정한 주인공이 될 수 있기를 바랍니다.

1.3. 꿈을 꾸지만, 마냥 아름답지는 않다

꿈을 꾸지만, 그 꿈은 현실과는 별개의 영역처럼 느껴집니다. 때로는 '이 꿈을 과연 내가 할 수 있을까?'라는 현실적인 어려움과 마음의 갈등이 있으므로 꿈이 실제로 이어지기 어렵다는 생각이 들었습니다. 현실적인 한계와 꿈의 이상적인 세계 사이에는 많은 차이가 발생하며, 이러한 차이가 꿈의 아름다운 결말을 만들어내지 못했습니다.

엄마가 되고 자녀들을 위해 매일 바쁘게 돌아다니고 힘들게 일하며, 가정과 직장의 균형을 위해 노력하였습니다. 나의 꿈은 자녀들이 행복하게 자라는 것입니다. 그러나 현실에서는 시간과 에너지의 한계, 직장에서의 일들에 엄마의 역할을 제대로 하지 못해 어려움을 겪기도 합니다. 그러나 한편으로는 엄마인 나의 꿈을 포기하지 않습니다. 나는 자녀들에게 사랑과 관심을 가득 전하며, 작은 순간들에서의 희망을 찾아봅니다. 자녀들의 웃음과 성장을 지켜보는 그 순간과 함께 나의 꿈을 조금씩 그려나가 봅니다

오랜 직장을 다니며 경력과 안정된 삶을 위한 꿈을 품고 있습니다. 그러나 현실에서는 경쟁과 압박, 업무의 고충들이 너무 많습니다. 오랜 직장생활의 익숙함에서 빠져있었던 적이 있었습니다.

매번 하던 일이기에 일의 능숙함은 올라갔지만 일에 대한 즐거움과 열정은 점점 식어갔습니다. 이렇게 익숙함에 빠지게 되면 도태되는 거 아닐까? 라는 두려움을 가진 적도 있습니다. 젊은 사람들의 열정을 따라가지 못하는 저를 볼 때면 한심하다는 생각을 한 적도 있었습니다. 그런데도 나는 직장인에게서의 꿈을 포기하지 않습니다. 노력과 열정으로 업무에 임하고, 자기 능력을 향상하기 위해 계속해서 배움과 성장을 추구합니다. 그리고 어느 순간, 나의 노력과 업적이 인정받고 성과로 이어집니다. 익숙함에서 빠져 편함을 추구하기보다 배움을 통해 성장을 추구하였습니다. 그 순간, 나의 일은 그제야 보상을 받아 나에게 성취감과 자부심을 느끼게 해줍니다. 직장일 뿐만 아니라 일과 별개의 일들 속에서도 조금씩 성과를 내기 시작합니다.

이처럼 엄마와 직장인은 꿈을 향해 나아가면서 현실의 제약과 어려움을 받아들이고, 그 속에서 더욱 강해지고 성장합니다. 현실적인 아름다움은 내가 바라는 꿈을 향해 노력하고 향상하는 과정에서 비로소 나타납니다. 나는 엄마라는 이름으로 자녀들의 행복과 성장을 지켜보며, 직장인으로서는 업적과 성과를 통해 나의 성장을 확인합니다. 이러한 현실적인 삶 속에서 지칠 때도 있지만 한 줄기 빛처럼 빛나는 나의 꿈을 찾습니다.

현실적인 어려움 속에서 꿈의 희망과 아름다움을 찾기 어려울지라도, 나는 꿈을 향해 나아가는 과정에서 그 꿈의 아름다움을 발견할 것입니다. 현실의 제약과 모순을 인정하고 받아들이면서도 꿈을 향한 나의 열망과 노력은 앞으로도 지속될 것입니다.

결국, 꿈을 꾸는 것과 그 꿈을 실현하는 여정은 우리 삶의 근본적인 부분입니다. 꿈은 우리에게 방향을 제시하고, 우리의 잠재력을 발휘할 수 있도록 도와줍니다. 그 과정에서 겪는 모든 도전과 어려움은 우리를 더욱 강인하게 만들며, 결국 우리의 꿈이 현실이 될 때 우리에게 큰 만족과 성취감을 선사합니다. 따라서 꿈을 향해 나아가는 여정은 절대 포기하지 말고, 현실의 어려움을 극복하며 꿈을 향한 우리의 열정을 계속해서 불태워야 합니다. 우리가 모두 자신의 꿈을 실현하는 그날까지, 변함없는 노력과 헌신으로 그 여정을 계속 이어나갈 것입니다.

1.4. 무대의 주인공이 되는 방법

인생이라는 무대에서 자신이 진정한 주인공이 되는 것은, 각자의 삶 속에서 소소하게 일어나는 변화와 결정들을 통해 이루어집니다. 빅터 프랭클이 그의 저서 《죽음의 수용소에서》에서 말했듯, "인간의 마지막 자유는 어떤 상황에서도 자신의 태도를 선택할 수 있는 자유다." 이 깊은 통찰은 우리가 자기 삶에서 주인공이 되고자 할 때, 우리 내면의 장애물과 마주하게 되는 순간들에 특히 중요한 메시지를 전달합니다. 우리는 종종 "나는 게으름 때문에 할 수 없어", "나는 드라마 중독 때문에 할 자신이 없어", "나는 하고 싶은 게 뭔지 모르겠어"와 같은 다양한 변명에 자신을 가두곤 합니다.

하지만 우리가 프랭클의 말을 마음에 새긴다면, 우리의 태도를 선택하는 것이 바로 우리의 권리이자 힘이 될 수 있음을 깨달을 수 있습니다. 삶에서 마주치는 어려움과 도전들을 긍정적인 태도로 받아들이고, 그 과정에서 자신의 잠재력을 발견하는 것이 우리를 인생의 주인공으로 만듭니다. 이 과정에서 중요한 것은 자신에 대한 깊은 성찰입니다. 자신이 무엇을 원하는지, 어떤 일에서 기쁨을 느끼는지를 스스로에게 묻고, 그 답을 찾아가는 여정이 바로 우리를 무대의 중심으로 이끕니다.

이 여정은 또한 우리로 하여금 자신의 목표와 꿈을 분명히 할 수 있게 도와줍니다. 목표 없는 삶은 방향을 잃기 쉽습니다. 하지만 우리가 진정으로 원하는 바를 명확히 하고, 그것을 이루기 위한 구체적인 계획을 세운다면, 우리의 삶은 더욱 의미 있고 목적 있는 방향으로 나아갈 것입니다. 이 과정에서 자신의 가치와 가능성을 믿는 것도 중요합니다. "나는 할 수 없어"라는 생각이 "나는 할 수 있어, 나는 가치 있어"로 바뀌는 순간, 우리의 삶은 근본적으로 변화하기 시작합니다.

그러나 우리가 기억해야 할 것은, 인생의 주인공이 되는 어정은 단기간에 이루어지는 것이 아니라, 지속적인 노력과 성찰, 도전을 통해 점진적으로 이루어진다는 점입니다. 매일 작은 변화를 만들어 가며, 그 변화들이 모여 큰 변화를 이루는 것입니다. 이 과정에서 우리는 자신도 몰랐던 새로운 면모를 발견하고, 자신의 한계를 뛰어넘어 성장하는 기쁨을 경험할 수 있습니다.

인생이라는 무대에서 주인공이 되는 것은, 결국 자기 삶에 대한 깊은 이해와 사랑에서 비롯됩니다. 자신을 진정으로 이해하고 받아들이며, 자신의 꿈과 목표에 대한 열정을 품고 꾸준히 나아가는 과정에서, 우리는 자신만의 빛나는 길을 만들어갈 수 있습니다. "나는 게으름 때문에 할 수 없어", "나는 드라마 중독 때문에 할 자신이 없어", "나는 하고 싶은 게 뭔지 모르겠어"라는 생각이 또 우리를 가로막을 수 있습니다. 하지만 이러한 장애물들을 용기와 결단력으로 극복할 때, 우리는 진정한 의미에서 우리 삶의 주인공이 됩니다.

자신의 가치를 믿고, 매 순간 최선을 다하는 태도는 우리를 인생의 진정한 주인공으로 만듭니다. 우리 각자는 인생이라는 무대에서 자신의 역할을 충실히 수행할 때 가장 빛나게 됩니다. 우리의 삶은 우리가 선택하고 결정하는 순간들로 이루어져 있으며, 이러한 선택과 결정은 우리 각자의 독특한 이야기를 창조합니다. 우리의 삶에 어떤 의미를 부여하고, 어떤 목표를 추구할지는 전적으로 우리 자신에게 달려 있습니다.

따라서, 우리는 매일 우리 삶의 주인공으로서, 우리의 꿈과 목표를 향해 의미 있는 한 걸음씩 나아가야 합니다. 우리의 여정은 항상 쉽지만은 않겠지만, 우리가 자기 삶에 대한 사랑과 열정, 그리고 끊임없는 노력을 기울인다면, 우리는 분명 인생이라는 무대에서 빛날 수 있습니다. 우리 각자의 삶은 우리가 만들어가는 이야기이며, 우리는 그 이야기의 주인공입니다. 우리의 선택과 행동이 우리 삶의 방향을 결정짓고, 우리 각자의 이야기를 더욱 풍부하고 다채롭게 만듭니다.

그러니 오늘부터, 작은 변화부터 시작해 보세요. 자기 삶에서 주인공이 되기 위한 첫걸음을 내디디며, 자신만의 이야기를 멋지게 써 내려가세요. 자기 내면을 깊이 파고들며 자신이 진정으로 원하는 것이 무엇인지 찾아내고, 그 꿈을 향해 당당히 나아가세요. 그 과정속에서 자신의 진정한 가치와 가능성을 발견하며, 인생이라는 무대에서 자신만의 빛나는 길을 만들어 가는 당신을 발견하게 될 것입니다. "나는 게으름 때문에 할 수 없어", "나는 드라마 중독 때문에 할 자신이 없어", "나는 하고 싶은 게 뭔지 모르겠어"라는 핑계를 뒤로하고, 자기 삶의 주인공으로서 당당히 서서, 날마다 가치 있고 의미 있는 방식으로 살아가세요.

2. 미래를 책임질 버킷리스트 자산

2.1. 나의 0순위, 내 안의 나

우리는 종종 바쁜 일상에서 자신을 돌보는 것을 잊곤 합니다. 우리의 삶에서 우리 자신을 0순위로 두는 것은 가끔 이기적인 행동처럼 느껴질 수도 있지만, 실제로는 우리가 더 나은 파트너, 부모, 자식, 친구가 되는 데 필수적인 과정입니다. 스티븐 R. 코비가 그의 저서 《성공하는 사람들의 7가지 습관》에서 강조한 "선 안에서 먼저 이기라(Private Victory first)"는 이러한 개념을 잘 설명해 줍니다. 우리 자신과의 싸움에서 승리해야만, 우리는 세상과의 관계에서도 승리할 수 있습니다.

자신을 찾고, 진정한 나를 발견하는 것은 여행을 떠나는 것과 같습니다. 이 여행에서는 내면의 다양한 모습들을 발견하게 되며, 때로는 밝고 쾌활한 자신을, 때로는 조용하고 심오한 생각에 잠긴 자신을 마주하게 됩니다. 자신의 모든 모습을 인정하고 받아들이는 것이 바로 이 여행의 첫걸음입니다.

하지만, 이 여정은 절대 쉽지 않습니다. 과거의 상처나 현재의 불안, 미래에 대한 두려움과 같은 장애물을 마주하게 됩니다. 이런 장애물들을 극복하는 과정에서, 우리는 더욱 강인해지고 자기 자신에 대해 깊이 이해하게 됩니다. 에리히 프롬은 그의 저서

《사랑의 기술》에서 "사랑은 성숙함의 활동이다"라고 말했습니다. 자신을 사랑하는 것, 자신을 0순위로 두는 것은 바로 이러한 성숙함의 표현입니다.

자신의 진정한 모습을 찾는 방법은 다양합니다. 명상을 통해 내면의 소리에 귀를 기울일 수 있으며, 일기를 작성하며 자신의 감정과 생각을 정리할 수 있습니다. 취미 생활을 통해 자신을 표현하거나, 새로운 도전을 통해 자신의 한계를 시험해 볼 수도 있습니다. 이 모든 활동은 자신의 진정한 모습을 발견하는 데 도움이 됩니다.

하지만 가장 중요한 것은, 우리 자신에게 친절을 베푸는 것입니다. 우리는 종종 타인에게 보여주는 것보다 자신에게 더 엄격합니다. 자신에게 친절하고, 자신의 필요와 욕구를 인정하는 것이 자신을 찾아가는 여정에서 중요한 역할을 합니다.

내 인생의 0순위로 '나'를 두는 것은, 우리가 더 건강하고, 행복하며, 성취감을 느낄 수 있는 삶을 살아가는 데 필수적입니다. 우리가 자신을 사랑하고, 자신의 가치를 인정할 때, 우리는 다른 사람들과의 관계에서도 더 긍정적이고 의미 있는 영향을 미칠 수 있습니다. 따라서, 오늘부터 자신을 0순위로 두고, 자신의 필요와 욕구에 주목하는 것을 잊지 마세요. 이는 결코 이기적인 행동이 아니라, 오히려 자신뿐만 아니라 주변 사람들에게도 긍정적인 영향을 미치는 건강한 자기 사랑의 시작입니다.

자신을 돌보고 가꾸는 과정에서, 우리는 내면의 평화와 행복을 찾을 수 있으며, 이는 우리 삶의 질을 향상하는 결정적인 요소가 됩니다. 자기 삶에서 중요한 결정을 내릴 때, 자신의 감정과 욕구를 우선시하는 것은 우리가 진정 원하는 삶을 살아가는 데 필수적입니다. 우리 자신에게 시간을 투자하고, 자기 계발에 집중하며, 우리의 꿈과 목표를 향해 나아갈 때, 우리는 자기 삶에서 더 많은 만족과 성취를 경험할 수 있습니다.

이 과정에서 중요한 것은, 자신에 대한 탐색과 발견이 지속적인 여정임을 인식하는 것입니다. 우리는 모두 성장하고 변화하는 존재이며, 삶의 다양한 단계에서 자기 모습을 새롭게 발견하게 됩니다. 이러한 발견은 우리가 자신의 삶을 더욱 풍부하고 다채롭게 만들어가는 데 도움이 됩니다.

자신을 찾는 여정은 때때로 도전적이고 어려울 수 있습니다. 하지만 이 과정을 통해 우리는 자기 내면에 숨겨진 잠재력과 가능성을 발견하게 되며, 이는 우리가 인생에서 진정한 의미와 행복을 찾는 데 결정적인 역할을 합니다. 자기 삶에서 진정한 0순위가 되어 자신의 필요와 욕구를 충족시키는 것은 우리가 다른 사람들과 더 깊이 연결되고, 더 큰 기쁨과 만족을 느끼는 삶을 살아가는 데 중요한 첫걸음입니다.

따라서, 자신에게 시간을 할애하고, 자신의 삶을 돌아보며, 자신의 꿈과 목표에 충실하게 살아가세요. 자신을 진정으로 사랑하고, 자신의 삶을 0순위로 두는 것에서 시작된 여정은, 당신이 원하는 미래를 향한 버킷리스트를 실현하는 데 필수적인 기반이 될 것입니다. 자기 삶의 주인공으로 당당히 서서, 당신만의 멋진 이야기를 만들어가세요.

2.2. 나의 이름에 속지 마라

삶 속에서 우리는 종종 '부인', '엄마', '며느리', '직장인' 같은 여러 역할에 매몰되어 자신이 누구인지 잊곤 합니다. 우리의 이름 뒤에 붙는 수많은 타이틀은 우리의 정체성을 형성해 주지만, 동시에 우리 자신을 잊게 만드는 족쇄가 될 때도 있습니다. 루이제 린저가 말했듯, "내가 내 삶의 주인공이 되는 순간, 나는 나의 삶을 통제할 수 있다"는 이 말처럼, 우리는 자기 삶에서 진정한 주인공이 되기 위해, 자신만의 정체성을 찾고 그것을 지키려는 노력이 필요합니다.

이야기를 좀 더 풀어보자면, 각자의 삶에서 '나'라는 존재를 재발견하는 여정은 자신만의 소중한 시간을 통해 시작됩니다. 가령, 주말 아침 저는 좋아하는 카페에서 혼자만의 시간을 갖기로 결심했습니다. 주변의 소음을 차단하고, 스마트폰을 비행기 모드로 전환해 모든 연락처와 소셜 미디어로부터의 방해를 차단합니다. 제 앞에는 좋아하는 책 한 권과, 생각을 정리할 수 있는 노트가 놓여 있습니다. 이 소소한 행위 속에서 저는 평소 잊고 지냈던 '나'와 재회하게 됩니다.

이런 시간을 통해 우리는 자신이 진정으로 원하는 것이 무엇인지, 무엇이 우리를 행복하게 하는지를 탐색할 수 있습니다. 이 과정은 단순히 자기만족에 그치지 않고, 우리가 삶의 다양한 역할을 더욱 효과적으로 수행할 힘을 줍니다. 우리가 자신의 욕구와 필요를 이해하고 충족시킬 때, 우리는 다른 사람들과의 관계에서도 더 긍정적이고 건강한 태도를 유지할 수 있습니다.

그러나 우리 자신을 찾는 여정은 때로는 도전적일 수 있습니다. 과거의 상처, 현재의 두려움, 미래에 대한 불확실성과 같은 장애물들이 우리 앞에 놓일 것입니다. 하지만 이러한 장애물들은 우리가 자기 내면을 더 깊이 이해하고, 자신의 한계를 넘어서는 성장을 경험할 수 있는 기회를 제공합니다. 자신에 대한 깊은 이해는 우리가 삶의 어려움을 극복하고, 자신의 꿈을 실현할 힘을 줍니다.

자신을 위한 시간을 만들고, 자기 삶에 대해 깊이 생각해 보는 것은 우리가 자기 삶의 주인공으로 서는 데 필수적인 과정입니다. 자기 내면에 귀 기울이고, 자신의 꿈과 목표를 명확히 하는 것은 우리의 삶을 보다 의미 있고 풍부하게 만들어 줍니다. 우리 각자는 자신만의 독특한 여정을 가지고 있으며, 이 여정을 통해 자신의 진정한 정체성과 만나게 됩니다.

자기 삶에서 진정한 '나'를 발견하는 것은, 타인이 우리에게 부여한 역할이나 기대에 구애받지 않고, 자신만의 길을 찾아가는 것을 의미합니다. 우리가 각자 가진 '부인', '엄마', '며느리', '직장인' 등의 타이틀은 우리 삶의 일부분일 뿐, 우리의 전부는 아닙니다. 우리 각자 안에는 이러한 역할을 초월하는, 독특하고 소중한 개인이 존재합니다.

이 개인을 발견하고 그것을 존중하는 과정은 우리가 자신의 삶을 더욱 주도적으로 살아갈 수 있게 해 줍니다. 자신의 욕구와 필요, 꿈과 목표에 귀를 기울이고, 그것을 추구함으로써, 우리는 자기 삶에 대한 만족도를 높일 수 있습니다. 이는 또한 우리가 타인과의 관계에서도 더 긍정적이고 의미 있는 영향을 미치는 데 도움이 됩니다.

이런 과정에서 자기 자신에 대한 사랑과 존중이 매우 중요합니다. 자신을 소중히 여기고, 자신의 필요와 욕구를 중요하게 생각하는 것은 자신의 삶을 더욱 풍요롭게 만듭니다. 자신을 위한 시간을 적극적으로 만들고, 자기 내면에 집중하며, 자신의 꿈을 향해 나아갈 때, 우리는 진정한 의미에서 삶의 주인공이 됩니다.

마지막으로, 자신의 이름에 속지 않는 것은, 우리가 어떤 임무를 수행하든 그 이상의 가치와 가능성을 가지고 있음을 인식하는 것입니다. 우리 각자는 자신만의 독특한 이야기와 잠재력을 가지고 있으며, 이를 탐색하고 발현하는 과정에서 우리는 우리 삶의 주인공으로 거듭날 수 있습니다. 따라서, 우리 각자의 이름 뒤에 붙는 수많은 타이틀에 얽매이지 말고, 자신만의 길을 찾아 나가세요. 그 길에서 우리는 진정한 자유와 행복을 발견하고, 우리 삶의 주인공으로서 빛나게 될 것입니다.

2.3. 마음속 깊이 내면의 신호를 듣다

우리 각자의 삶은 마치 커다란 캔버스와 같습니다. 때때로 우리는 이 캔버스 위에 다양한 역할과 책임으로 가득 찬 그림을 그리며 살아갑니다. 우리는 '엄마', '부인', '직장인' 등 여러 이름으로 불리며, 이러한 역할에 우리의 존재를 맞춰가곤 합니다. 그러나 가끔은 이 모든 역할을 벗어던지고, 단순히 '나'로서의 존재에 집중해야 할 필요가 있습니다. 마음속 깊은 곳에서부터 우리 자신의 소망과 꿈이 부르고 있음을 느끼며, 그 소리에 귀를 기울일 때, 우리는 진정한 행복과 만족을 찾을 수 있습니다.

엄마로서, 우리는 가족과 보내는 소중한 시간, 자녀와 함께하는 즐거운 추억을 만들고 싶어 합니다. 직장인으로서 우리는 업무에서의 성공, 새로운 도전을 통한 성장을 꿈꿉니다. 이 모든 꿈은 우리의 마음속 깊은 곳에서 우러나오는 소망에서 비롯됩니다. 그리고 이 소망을 실현하기 위해서는, 우리 내면의 목소리에 귀를 기울이고, 그 목소리가 우리에게 이끄는 대로 나아가야 합니다.

혼자만의 시간은 우리가 진정으로 원하는 것이 무엇인지, 우리에게 중요한 것이 무엇인지를 명확히 할 수 있게 도와줍니다. 이 과정에서 중요한 것은 우리의 내면에 있는 목소리에 주의를 기울이고, 그 목소리를 따라 우리의 꿈을 향해 나아가는 것입니다.

빌 게이츠처럼 자신만의 사색의 시간을 갖고, 혼자만의 고립된 공간에서 꿈을 탐구하는 것이 우리에게 새로운 영감과 아이디어를 제공할 수 있습니다.

우리 각자의 삶에서 우리의 꿈과 소망을 이루기 위한 계획을 세우고, 그 계획을 실천으로 옮기는 것은 우리의 삶을 더욱 풍요롭게 만듭니다. 당신의 버킷리스트를 만들 때, "가능할까?"라는 의심보다는 "내가 이루고 싶은 것은 무엇인가?"에 집중하세요. 우리가 꿈을 향해 첫걸음을 내딛는 순간, 우리는 이미 그 꿈을 향한 여정을 시작한 것입니다. 꿈을 달성하기 위한 여정은 때로는 어려움과 도전으로 가득 찰 수 있지만, 그 과정에서 우리는 더욱 강해지고, 우리 자신에 대해 더 많이 배우게 됩니다.

내면의 목소리에 귀 기울이는 것은 우리가 진정으로 원하는 삶을 살 수 있게 해주는 열쇠입니다. 우리 내면의 소망과 꿈을 이해하고, 그것을 실현하기 위해 행동으로 옮기는 것은, 우리가 자기 삶의 주인공이 될 수 있게 해줍니다. 이 과정에서 자신에게 솔직해지고, 자신의 감정과 욕구에 주목하는 것이 중요합니다. 자신이 무엇을 진정으로 원하는지, 무엇이 당신을 행복하게 하는지를 이해할 때, 당신은 당신의 삶을 더욱 의미 있고 만족스럽게 만들 수 있습니다.

또한, 우리의 버킷리스트를 실현하는 과정에서, 우리는 자신을 우선시하는 법을 배웁니다. 우리 자신의 필요와 욕구에 주목하고, 그것을 충족시키기 위해 노력하는 것은 우리의 삶에 긍정적인 변화를 불러옵니다. 자신의 꿈을 추구하는 것은 자기 자신에 대한 최고의 투자이며, 이는 우리의 삶을 더욱 풍부하게 만드는 길입니다.

마지막으로, 우리의 꿈을 향해 나아가는 여정은 우리에게 끊임없는 성장과 학습의 기회를 제공합니다. 우리가 자기 내면의 목소리를 따라 꿈을 추구할 때, 우리는 새로운 기술을 배우고, 새로운 경험을 하며, 우리의 잠재력을 발견하게 됩니다. 이 모든 것은 우리가 삶에서 진정한 행복과 만족을 찾는 데 도움이 됩니다.

그러니, 오늘 당신의 내면 목소리에 귀 기울이고, 당신의 꿈을 향한 첫걸음을 내딛으세요. 당신의 꿈을 향해 나아갈 때, 당신은 당신만의 멋진 이야기를 만들어갈 것이며, 그 과정에서 진정한 '나'를 발견하게 될 것입니다. 당신의 꿈과 소망을 실현하기 위해 노력함으로써, 당신은 당신의 삶을 더욱 풍부하고 의미 있는 것으로 만들 수 있습니다. 내면의 목소리가 이끄는 대로, 용기를 가지고 당신의 꿈을 향해 나아가세요. 당신의 삶은 당신의 꿈을 실현함으로써 더욱 빛나게 될 것입니다.

올해 버킷리스트

건강한 몸
전자책 수강생
100명
한라산 백록담
등반
미디어 기자
바인더 수강생
100명
독서경영
전문가

올해 무엇을 해봐야지 생각만 하다가 저와 함께 버킷리스트를 작성한 분들 중 2분의 꿈을 소개합니다.

애들 영어캠프
PIC INTERNATIONAL
ENGLISH CLUB

날두쓰기

월 1권 책읽기

제주여행 2회
JEJU

다이어트 -5kg

한국사 3급 합격

버킷리스트 작성 후 부모님의 건강검진을 예약해 드리고 술과 단 것 줄이기 작성으로 이전에는 무심결에 손이 가던 당분과 저녁에 습관적으로 마시던 맥주 한 캔을 덜 찾게 되었다는 O는 많은 목표는 아니더라도 꼭 해보자 하는 마음으로 보물에 그린 목표를 실행하고 있다고 합니다. K는 아래와 같이 버킷리스트를 작성했습니다.

위의 리스트 작성 후 아이들 영어 캠프를 예약하고 제주 여행은 2회 중 1회를 다녀왔다고 합니다. 모두 달성하지 않았으면 아직 달성한 게 아니라는 그녀는 버킷리스트도 일처럼 하고 있지만 그럼에도 꼭 달성하겠다는 굳은 의지가 있습니다. 버킷리스트를 작성한 사람과 작성하지 않은 사람은 분명 다를 것입니다.

TALKING OUT
내가 진정으로 이루고 싶은 것은 무엇일까?

옛날 어느 왕국에, 꿈에 대해 깊이 고민하던 젊은 왕이 있었습니다. 왕은 자신의 꿈이 무엇인지, 왕으로서 진정으로 이루고 싶은 것이 무엇인지를 몰랐습니다. 어느 날, 왕은 꿈을 찾기 위해 나라를 떠돌기로 결심합니다.

왕은 가장 현명한 사람들을 만나서 자신의 꿈을 찾는 것에 관해 물었습니다. 그는 철학자, 학자, 성직자에게 조언을 구했지만, 그들은 답은 모두 달랐으며 왕은 여전히 혼란스러웠습니다.
마침내 왕은 한 외딴 마을에서 어린 소녀를 만났습니다. 소녀는 "꿈은 당신의 마음속에 있으며, 다른 사람이 당신을 위해 찾아줄 수 없다"라고 말했습니다. "당신이 정말 원하는 것을 깊이 생각해 보세요. 그리고 그것을 실행하기 위해 노력하세요."

왕은 마을로 돌아가 자신이 진정으로 원하는 것을 깨달았습니다. 그것은 평화롭고 번영하는 왕국을 만드는 것이었습니다. 그는 꿈을 실행하기 위해 노력하기 시작했고, 결국 그의 왕국은 사람들이 행복하게 살 수 있는 곳으로 변화하였습니다.

이 우화의 교훈은 꿈을 발견하는 것은 자기 내면을 바라보는 것에서 출발하는 것을 말합니다. 진정으로 원하는 것을 찾기 위해서는 타인의 조언을 듣는 것도 중요하지만, 가장 중요한 것은 자신의 마음과 영혼을 듣는 것입니다.

"꿈을 성장시키려면, 우선 그 꿈을 명확하게 해야 한다. 분명한 목표가 성장의 첫걸음이다."

\- 나폴레옹 힐

PART 02. 꿈 성장시키기

1. 새싹 꿈과 비전을 성장시키는 방법

1.1. 우리 엄마처럼은 살지 않기

엄마라는 존재는 우리에게 너무나 큰 영향을 끼치는 사람입니다.

엄마!
그 단어만 들어도 울컥하는 마음이 들면서 눈물이 날 것 같은 건 저만이 느끼는 감정은 아닐 것입니다. 내가 어떤 길을 선택하든 항상 응원해 주고 믿어주는 그런 존재는 엄마입니다. 하지만 저는 제 인생에서 엄마처럼은 살고 싶지 않습니다. 왜냐하면 세상 모든 엄마가 다 그렇겠지만 저희 엄마는 너무 많은 희생을 많이 하셨기 때문입니다.

<엄마 사랑은 희망의 빛이다.
그녀가 주는 사랑은 끝없이 흐르고, 영원히 간직될 것이다.>
위는 호세 마르티가 한 말입니다.

이처럼 언제나 나를 위해 희생하시고, 내가 원하는 모든 것을 들어주시는 주셨던 엄마입니다. 하지만 그런 엄마에게도 숨기고 싶은 비밀이 있었습니다. 그건 바로 입양입니다. 고등학교 2학년 때 엄마의 비밀을 처음 알게 되었습니다.

그때는 엄마의 힘들었던 과거보다 그 비밀을 알게 된 제가 더 충격이었습니다. 내가 알고 있던 외갓집 식구들은 진짜 가족이 아니었다는 생각이 들면서 배신감이 들었던 철없던 여고생의 시절이 생각납니다. 과거 초등학교를 졸업하고 입양이라고 하기엔 다소 늦은 나이인 17살에 입양된 엄마는 사춘기 시절 누군가에게 투정 부리고 마음껏 자신의 기분을 표현하지 못하고 다른 곳으로 입양이 되었습니다.

집안 형편이 너무 어려워 큰딸을 보낸 것입니다. 이후 왜 그렇게 보내야만 했는지 그런 건 알 수도 없고 알고 싶지도 않았습니다. 그래도 과거의 집보다는 조금은 부유한 집으로 와서 먹고사는 데는 문제가 없었다고 엄마는 말해주었습니다. 그리고 외갓집에 갈 때마다 외할머니는 매번 제 동생과 저에게 옷을 사주셨기에 외갓집에 가는 걸 좋아했었습니다. 이후에 입양 소식을 듣고 조금은 불편한 마음이 들었지만 그럼에도 외갓집에 가면 항상 잘 해주셨기에 감사한 마음이 들었습니다.

그렇지만 남의 집에서 사는 게 편한 게 아니었는지 엄마는 일찍 결혼을 선택하셨습니다. 하루라도 빨리 벗어나고 싶어 딱 한 번 만난 시골 남자와 결혼하였습니다. 그렇게 벗어난 시골이 엄마에게는 힘든 일의 연속이었습니다. 그때 그 시절 시골 일은 쉬운 일이 없었으니까요. 집안 어른들 챙기고 아빠의 동생들을 챙기느라 그렇게 또 세월을 보내셨습니다.

그렇게 힘들게 삶을 사셨던 엄마처럼은 살고 싶지 않았습니다. 꿈이 있어도 꿈을 꿀 생각도 못 했던 엄마처럼은 살고 싶지 않았습니다. 그 마음을 아는지 엄마는 제가 원하는 모든 것을 해주려고 노력하셨습니다. 아빠는 딸한테 뭘 그렇게 투자하냐고 했을 때도 엄마는 제가 배우고 싶어 하는 것을 마음껏 하게 해주셨습니다. 어른이 되고 보니 엄마가 얼마나 희생을 많이 하셨는지 알게 되었습니다. 얼마나 저에게 많은 걸 주셨는지 알게 되었습니다. 그만큼 큰 사랑을 누군가에게 다 베풀지는 못하겠지만 살면서 표현해 보고 싶습니다.

지금이라도 늦지 않았습니다
엄마에게 각자의 방식으로 마음을 표현해 보세요.
쑥스럽다고 미루다가 후회하기보다는 용기 내서 말하는 편이 훨씬 좋습니다.
그렇다고 제가 잘 표현하는 건 아니지만 이제부터 저도 노력해 보려고 합니다.
그럼에도 엄마처럼 살기는 싫습니다.

1.2. “나다움”을 찾고 싶은 나

삶이라는 여정에서 '나다움'을 찾는 일은 마치 숲속의 길을 찾아가는 모험과도 같습니다. 우리는 각자 다른 길을 걸어가지만, 결국 우리가 모두 찾고자 하는 것은 자신만의 길, 즉 '나다움'입니다. 이 여정은 엄마로서, 직장인으로서 우리가 매일 쓰고 있는 여러 가지 모자 속에서 우리 자신의 정체성과 진정한 욕구를 찾아가는 과정입니다.

"나다움을 찾는 것은, 자기 삶에 대한 가장 깊은 탐험이다."라는 말처럼, 우리 자신과의 대화는 이 탐험의 첫걸음입니다. 바쁜 일상에서도 자신에게 귀 기울이고, 자신의 감정과 욕구에 진심으로 관심을 가지는 시간을 갖는 것이 중요합니다. 이 시간을 통해, 우리는 자신이 진정으로 무엇을 원하고, 무엇을 향해 나아가고 싶은지를 발견할 수 있습니다.

또한, 자신만의 시간을 만들고 그 시간을 통해 자신의 취미와 관심사를 탐구하는 것도 '나다움'을 찾는 중요한 과정입니다. 예를 들어, 매일 조금씩 독서와 글쓰기의 시간을 할애함으로써, 우리는 자기 생각과 감정을 더 깊이 이해할 수 있습니다. 이런 작은 활동들이 모여 결국 우리는 자신만의 가치와 열망을 발견하게 됩니다.

자신의 가치와 열망을 발견하는 것은 '나다움'을 찾는 여정에서 매우 중요한 단계입니다. 우리는 가끔 자신의 진정한 욕구를 가족이나 사회의 기대에 묻혀 잊곤 합니다. 하지만 "내가 원하는 것은 무엇인가?", "내가 하고 싶은 것은 무엇일까?"와 같은 질문을 스스로에게 끊임없이 던짐으로써, 우리는 자신의 진정한 목소리를 듣고 그것을 실현해 나갈 수 있습니다.

엄마로서, 직장인으로서 우리가 가진 책임과 역할은 분명 중요합니다. 하지만 그것들이 우리의 전부는 아닙니다. 우리 각자는 독특한 개인이며, 우리 자신의 꿈과 소망이 있습니다. '나다움'을 찾는 여정은 우리가 이러한 꿈과 소망을 실현해 나가면서, 동시에 엄마로서, 직장인으로서 더 풍부하고 의미 있는 삶을 살아갈 수 있게 해줍니다.

결국, '나다움'을 찾는 것은 우리 삶을 향한 깊은 사랑과 존중에서 시작됩니다. 자신을 소중히 여기고, 자신의 가치와 열망을 추구함으로써, 우리는 진정으로 만족스러운 삶을 살아갈 수 있습니다. 그러니 용기를 내어 자신만의 길을 찾고, 자신의 꿈과 소망을 향해 나아가세요. 이 여정에서 우리는 자기 삶에 대해 더 깊이 이해하고, 자신의 진정한 가치를 발견하게 될 것입니다. '나다움'을 찾는 과정은 때로는 외롭고 힘든 여정일 수 있지만, 그 과정에서 우리는 자기 내면과 더욱 친밀해지고, 자신만의 색깔을 찾게 됩니다.

이 여정은 단지 개인적인 만족에 그치지 않습니다. 자신이 누구인지, 자신이 무엇을 원하는지 깊이 이해함으로써, 우리는 타인과의 관계에서도 더욱 진실하고 의미 있는 소통을 할 수 있습니다. '나다움'을 찾는 것은 우리가 타인에게 더 긍정적이고 영향력 있는 존재가 될 수 있게 해주며, 우리의 삶과 타인의 삶을 더욱 풍요롭게 만듭니다.

마지막으로, '나다움'을 찾는 여정은 우리에게 자유를 선사합니다. 자신만의 길을 걷고, 자신의 꿈을 추구함으로써, 우리는 자신과 타인에 대한 기대에서 벗어나 진정으로 원하는 삶을 살아갈 수 있습니다. 이것은 우리가 삶에서 진정한 행복과 만족을 찾는 길입니다.

그러니 지금부터라도 자신과의 대화를 시작하고, 자신만의 시간을 찾아보세요. 자신의 가치와 열망에 귀 기울이고, 그것을 향해 나아가세요. '나다움'을 찾는 여정은 당신의 삶을 변화시킬 뿐만 아니라, 당신을 둘러싼 세상에도 긍정적인 변화를 불러올 것입니다. 자신의 꿈과 소망을 실현하는 과정에서 우리 각자는 더욱 빛나는 존재가 될 것이며, 그 빛은 주변 사람들에게도 퍼져나가 우리가 모두 더 나은 세상을 만들어가는 데 이바지할 것입니다. '

나다움'을 찾아 나가는 여정에 용기를 내어 첫걸음을 내딛으세요. 당신의 삶은 당신의 꿈을 실현함으로써 더욱 풍부하고 의미 있는 것이 될 것입니다.

1.3. 완벽한 아내 말고 꿈꾸는 아내

삶이란 마라톤과 같아서 우리는 그 긴 여정 동안 여러 역할을 맡으며 달려갑니다. 엄마, 아내, 직장인 등 수많은 역할 중에서도 우리는 "나다움"을 잃지 않으려 노력해야 합니다. 특히, 사회가 그리는 '완벽한 아내'의 이미지에 맞추려 애쓰기보다는, 우리 자신의 꿈과 행복을 추구하는 삶이 훨씬 더 가치 있습니다.

"당신이 진정 원하는 삶을 살고 있습니까, 아니면 다른 사람이 원하는 삶을 살고 있습니까?" 이 질문은 우리가 모두 가끔 자신에게 던져봐야 하는 중요한 질문입니다. 우리 삶의 주인공은 바로 '나' 자신이며, 자신만의 꿈과 열정을 가지고 살아가는 것이 중요합니다.

그렇다면, 자신의 꿈을 향해 나아가는 동안 완벽한 아내가 아닌, 꿈꾸는 아내로 살아가려면 어떻게 해야 할까요?

첫째, 자기 자신을 사랑하는 것부터 시작해야 합니다. 우리는 종종 타인의 기대와 사회적 기준에 자신을 맞추려고 애씁니다. 하지만 진정한 자아실현은 자기 자신을 받아들이고, 자신의 가치를 인정할 때 시작됩니다. 자신에게 "나는 무엇을 좋아하나? 내가 진정 원하는 것은 무엇인가?"라고 물어보세요. 그리고 그 답을 찾기 위한 여정을 시작하세요.

둘째, 자신만의 목표와 계획을 세워보세요. 꿈을 이루기 위해선 목표 설정이 중요합니다. 가정과 직장, 그리고 개인적인 삶의 균형을 찾기가 쉽지는 않지만, 자신의 시간을 효율적으로 관리하고, 우선순위를 정하는 것으로부터 시작할 수 있습니다. 가령, 하루 중 자신만의 시간을 조금이라도 확보해 자신의 꿈을 위해 투자하세요. 이 시간 동안 취미 생활을 즐기거나, 자기 계발을 위해 새로운 것을 배워보세요.

셋째, 남편과의 소통을 강화하세요. 꿈을 추구하는 과정에서 파트너와의 이해와 지지는 무엇보다 중요합니다. 서로의 꿈과 목표에 관해 이야기하고, 서로를 지원하는 관계를 구축해 보세요. 이러한 소통은 꿈을 향한 여정을 더욱 풍부하고 의미 있게 만들어 줄 것입니다.

마지막으로, 실패를 두려워하지 않고 도전하세요. 모든 여정에는 실패와 시행착오가 동반됩니다. 하지만 이러한 과정을 통해 우리는 더 강해지고, 우리 자신에 대해 더 많이 배우게 됩니다. 실패는 성장을 위한 중요한 단계이므로, 긍정적인 마음가짐으로 그것을 받아들이세요.

'완벽한 아내'를 추구하기보다는 '꿈꾸는 아내'로 살아가는 것은, 우리 각자가 가진 독특한 가치와 열망을 실현하는 과정입니다. 우리가 정말로 원하는 것을 향해 나아갈 때, 우리는 자신뿐만 아니라 가정에도 긍정적인 영향을 미칠 수 있습니다. 이것이 바로 우리 각자가 가정 안에서도, 사회에서도 빛날 수 있는 이유입니다.

"당신의 삶은 당신의 이야기입니다. 그 이야기를 멋지게 써나가세요."라는 말처럼, 우리 각자의 삶은 우리가 만들어가는 이야기입니다. 당신이 꿈꾸는 것, 당신이 열정을 느끼는 것을 쫓아가는 과정에서, 당신은 자신만의 멋진 이야기를 만들어 갈 수 있습니다. 완벽함을 추구하기보다는 자신만의 길을 걸으며, 당신만의 색깔을 더해가세요.

꿈을 향해 나아가는 과정에서 때로는 실패하고 넘어질 수도 있습니다. 하지만 그 모든 경험은 당신을 더 강하게 만들고, 당신의 이야기를 더욱 풍부하게 만듭니다. 실패를 두려워하지 말고, 그것을 배움의 기회로 삼으세요. 당신이 꿈꾸는 아내, 그리고 인생의 주인공으로서 당당히 걸어가세요.

우리는 모두 다른 길을 걷고 있지만, 각자의 길에서 꿈을 향해 나아가는 용기를 가질 때, 우리는 진정으로 의미 있는 삶을 살 수 있습니다. 당신의 꿈과 열정이 당신을 어디로 이끌지는 모르지만, 그 여정 자체가 당신을 더욱 빛나게 할 것입니다.

그러니 오늘부터라도 자신을 위한 시간을 가지고, 자신의 꿈을 꾸고, 그 꿈을 향해 한 걸음씩 나아가보세요. 자신의 가치를 믿고, 자신의 열정을 따르는 것이 결국 당신을 행복으로 이끌 것입니다. '완벽한 아내'가 아닌 '꿈꾸는 아내'로서의 당신의 여정이 누군가에게 영감을 주고, 당신의 가정을 더욱 행복하게 만들 것입니다. 당신의 삶이 당신의 꿈으로 가득 차길 바랍니다.

2. 꿈에 대한 시험과 도전

2.1. 하늘에서 뚝 떨어지는 꿈은 없다

우리 삶에는 각자의 꿈이 있어요. 어릴 때는 우주비행사, 의사, 선생님처럼 크고 멋진 꿈을 꿨습니다. 그런데 어른이 되어서 보면, 바쁜 일상에서 그런 꿈들이 조금씩 희미해져 가는 것 같습니다. "꿈은 꾸는 사람만 이룰 수 있다"라는 말이 있는데, 정말이지 꿈이란 하늘에서 뚝 떨어지지 않습니다. 꿈은 우리가 매일 조금씩 키워가는 것입니다.

우리 중 많은 사람이 하루하루 바쁘게 살다 보니, 정작 중요한 '나의 꿈'을 잊고 살고 있습니다. 저도 마찬가지였습니다. 어린 시절 꿈꿔왔던 미래가 어느새 멀어지고, 나이를 먹으면서 "나는 정말로 무엇을 하고 싶은 걸까?" 하고 자주 생각하게 되었습니다. 하지만 꿈을 찾는 건 절대 늦지 않았다는 것을 꼭 기억해야 합니다.

꿈을 찾기 위해 우리는 먼저 자기 자신과 솔직해져야 합니다. 자신이 정말 좋아하는 것, 잘하는 것, 하고 싶은 것이 무엇인지 깊이 생각해 보는 것입니다. 그리고 그 꿈을 향해 첫걸음을 내딛는 것입니다. 사진 찍기를 좋아한다면, 그것을 직업으로 삼거나 취미로 즐기면서 여러 가능성을 탐색할 수 있습니다.

그런데 만약 "나는 꿈이 없는 것 같아"라고 느낀다면 어떻게 해야 할까요? 이때는 그저 열심히 노력하는 수밖에 없습니다. 롤모델을 찾아보거나, 책을 많이 읽는 것도 좋은 방법입니다. 책은 우리에게 새로운 세계를 보여주고, 새로운 생각을 하게 만들어 줄 수 있으니까요.

"책 속에는 세상을 바꾸는 힘이 있다"라고 말하는 이유가 여기에 있습니다. 책을 통해 우리는 다른 사람의 이야기, 다양한 지식을 만나보고, 그 속에서 나만의 길을 찾을 수 있습니다. 꿈이란 결국 우리가 끊임없이 노력하고, 시도하면서 찾아가는 것이니까요.

꿈을 찾는 여정은 평범한 일상을 넘어, 자신만의 방향을 찾아가는 여정입니다. 하늘에서 뚝 떨어지는 꿈은 없지만, 꿈을 꾸고 그 꿈을 향해 노력하는 우리에게는 반드시 기회가 올 것입니다. 그러니 우리 모두 오늘부터라도 꿈을 꾸고, 그 꿈을 현실로 만들기 위해 한 걸음씩 나아가 보면 어떨까요? 당신의 꿈이 이루어지는 그날까지, 절대 포기하지 마세요. 우리가 모두 꿈꾸는 삶을 살 수 있기를 진심으로 바랍니다. 우리 각자의 꿈은 우리 삶의 방향을 결정짓고, 우리를 진정으로 만족하게 만드는 힘이 있으니까요.

"인생은 자신이 만든 것이다"라는 말처럼, 우리의 삶은 우리의 선택과 노력으로 형성됩니다. 꿈이 없다고 느낀다면, 그것은 아직 당신이 자신의 진정한 열정을 발견하지 못했다는 뜻일 뿐입니다. 그러니 두려워하지 말고, 새로운 것에 도전해 보세요. 새로운 취미를 시작해 보거나, 관심이 가는 분야의 책을 읽어 보는 것만으로도 당신의 삶에 큰 변화가 찾아올 수 있습니다.

또한, 우리는 꿈을 향한 여정에서 때때로 실패하고 좌절할 수도 있습니다.. 하지만 그 과정에서 배우는 것이 많습니다. 실패는 우리가 더 강해지고, 더 나은 방향으로 나아갈 수 있는 계기가 됩니다. 그러니 실패를 두려워하지 말고, 그것을 극복하는 과정에서 성장해 나가세요.

꿈을 향해 나아가는 길은 혼자가 아닙니다. 주변 사람들, 가족, 친구들과 꿈을 공유하고 서로를 지지하며 나아가세요. 그들의 격려와 지지는 꿈을 향한 여정을 더욱 풍부하고 의미 있게 만들어 줄 것입니다.

마지막으로, 꿈을 향한 여정에서 가장 중요한 것은 '행동'입니다. 꿈을 꾸는 것만으로는 부족합니다. 그 꿈을 실현하기 위해 구체적인 행동을 취해야 합니다. 작은 목표를 세우고, 그것을 달성하기 위한 일정을 계획해 보세요. 매일 조금씩이라도 꿈을 향해 나아가는 노력을 기울인다면, 언젠가는 그 꿈이 현실이 될 거예요.

하늘에서 뚝 떨어지는 꿈은 없지만, 우리가 꿈을 향해 노력할 때, 그 꿈은 점점 우리에게 다가올 것입니다. 그러니 오늘부터라도 작은 한 걸음부터 시작해 보세요. 당신의 삶이 당신의 꿈으로 가득 차길 바라며, 그 꿈이 이루어지는 날까지 포기하지 않고 나아가세요. 우리가 모두 꿈꾸는 삶을 살 수 있습니다.

2.2. 86,400원의 기적, 시간을 되살려라

매일 아침 당신이 눈을 뜰 때마다 86,400원이 입금됩니다. 그리고 이 돈은 매일 밤 자정 사라집니다. 하루 동안 얼만 썼던지 남은 금액은 모두 사라집니다. 그리고 다음 날도 어김없이 입금됩니다. 86,400원이 시간이라면 어떠신가요? 우리는 매일 86,400초의 시간을 받습니다.

이 시간을 어떻게 보내시겠습니까?

저는 이 시간이 주어진다면 혼자서 해외여행을 가고 싶다는 생각이 들었습니다. 하지만 그것보다도 먼저 든 생각은 '나는 내 삶을 제대로 살고 있을까'라는 의구심이 들었습니다. 우리는 너무 바쁘게 살아가고 있습니다. 그리고 여유 없이 살아가다 보니 나 자신에게 집중하기보다는 다른 사람과의 관계나 사회생활에 더욱 신경 쓰고 있습니다. 매일 아침 86,400초를 시간은 우리 모두에게는 각자 다른 가치관들이 존재하기 때문에 이 글을 읽는 모든 사람이 같은 선택을 하지는 않을 거로 생각합니다. 하지만 저는 이렇게 많은 시간을 받을 수 있다면 저 자신을 위해 투자하는 데 쓰고 싶습니다.

나를 위한 시간 보내기라면 어떤 것들이 있을까요?

가장 먼저 떠오르는 건 역시 자기 계발입니다.
역량 강화, 독서, 취미생활 등 다양한 활동들이 떠오릅니다.

아무래도 혼자만의 시간을 보내는 경우가 많으므로 무언가를 배우거나 새로운 경험을 해보는 걸 권해드립니다. 자신을 위해 무언가를 해보기로 했다면 '내가 할 수 있을까'라는 고민은 하지 마셔야 합니다.

설레는 무언가가 있으신가요?

뭔가를 배워보고 싶은 마음이 1퍼센트라도 드신다면 망설이지 마세요. 배움을 뒤로하고 돈벌이에만 매달린다면 올해 12월 '올 한 해 그냥 바빴구나'라며 후회하게 될 것입니다. 이제 후회 말고 배움을 시작해 보시면 어떨까요? 만약 내가 좋아하는 분야가 있다면 더욱 좋을 것입니다. 그리고 너무 바쁘게 살아왔다면 휴식 시간을 갖는 것도 좋은 방법입니다. 바쁜 일상에서 잠시나마 벗어나 온전히 나만을 위한 시간을 가지는 것입니다. 여행을 가거나 영화를 보거나 음악을 듣거나 하면서 그동안 쌓인 스트레스를 풀어보면 어떨까요? 만약 주어진 시간이 24시간이라면 얼마나 알차게 쓸 수 있을까요?

하루라는 시간은 누구에게나 공평하게 주어지지만, 개개마다 활용하는 방식은 천차만별입니다. 그러므로 얼마만큼의 시간을 효율적으로 쓰느냐가 관건입니다.
예를 들어서 나는 1년 동안 공부해서 자격증을 취득하겠다는 목표를 가지고 있다고 가정해 보겠습니다. 그렇다면 남은 기간 최대한 집중해서 공부해야 할 것입니다. 반면에 직장인 D 씨는 퇴근 후 남는 시간에만 틈틈이 공부한다면 남들보다 훨씬 적은 시간을 투자하고도 충분히 원하는 결과를 얻을 수 있게 됩니다. 이렇듯 똑같은 시간이라도 어떻게 활용하느냐에 따라서 완전히 달라질 수 있습니다. 모든 일을 나 혼자 하려고 하기보다 레버리지하고 나에게 중요한 일을 선택하는 것이 필요합니다. 모든 일들이 다 중요한 건 아닙니다.

우선 일주일 동안의 시간을 기록해 보세요.
내가 어떻게 시간을 사용하는지를 기록해 보시면 얼마나 허투루 쓰는 시간이 많은지 알게 됩니다. 그 이후 내 시간의 분석을 통해 우선순위를 정하시면 됩니다. 어렵지 않습니다. 단지 시작하지 못했을 뿐입니다.

우리 인생은 짧다면 짧고 길다면 깁니다. 과연 언제까지고 미래 걱정만 하면서 살 수는 없습니다. 시대가 빠르게 변화하고 있는데 내 미래는 어떨까?

미래에 내가 할 수 있는 일이 없어지면 어떡하지 등의 고민만 할 것이 아니라 지금 내가 할 수 있는 배움을 찾아보세요. 그 배움은 미래의 두려움에서 벗어나게 할 것입니다. 결국 인생의 승부는 시간을 어떻게 활용하느냐에 따라 승패가 좌우됩니다.

혹시 영화 <빠삐용>에서 빠삐용에게 종신형의 올가미를 씌운 죄목이 뭔지 아세요? 죄목은 인생을 낭비한 죄였습니다. 한 해 마지막 12월 당신의 죄는 인생을 낭비한 죄가 아닌 누구보다 제대로 살아온 상을 받으셔야 합니다. 매일 주어지는 86,400초를 길바닥에 그냥 버리며 낭비하고 있지 않으시는가요?
이제부터라도 조금씩 자신을 발전시키는 노력을 한다면 분명 후회 없는 삶을 살 수 있을 것입니다.

2.3. 아는 사람과 모두 좋은 관계일 필요는 없다

우리 삶에서 만나는 사람들은 정말 다양합니다. 이웃, 동료, 친구, 가족 등 우리 주변에는 수많은 사람이 있습니다. 우리는 종종 모든 사람과 좋은 관계를 유지해야 한다고 생각합니다. 그래서 가끔은 우리 자신을 희생하면서까지 다른 사람들과의 관계를 잘 유지하려고 애쓰고 있습니다. 하지만 이 과정에서 우리는 때때로 중요한 것을 잊곤 합니다. 바로 '나 자신'입니다.

"당신 자신이 되십시오. 다른 모든 사람은 이미 차지되어 있습니다." 오스카 와일드의 이 말은 우리에게 깊은 교훈을 줍니다. 우리가 아는 모든 사람과 좋은 관계를 유지하려고 애쓰는 것보다 더 중요한 것은 자신과의 관계를 소중히 여기는 것입니다. 모든 사람을 만족시킬 수는 없고, 그럴 필요도 없습니다. 중요한 것은 자신이 누구인지, 자기 행복과 성장에 무엇이 중요한지를 아는 것입니다.

저 역시 많은 사람과 좋은 관계를 유지하려고 애썼습니다. 이웃집 엄마들, 직장 동료들과의 관계에서 항상 최선을 다하려고 했습니다. 하지만 시간이 지나면서 그런 노력이 오히려 제 감정과 에너지를 소모하게 만든다는 것을 깨달았습니다. 그래서 저는 선택했습니다. 모든 모임에 참여하고, 모든 사람을 만족시키려는 시도를 줄이기로 말입니다.

그 결과, 제 삶은 조금씩 달라지기 시작했습니다. 더 이상 타인의 기대에 맞춰 살려고 하지 않았고, 대신 제가 정말로 중요하게 여기는 것들에 더 많은 시간과 에너지를 투자하기 시작했습니다. 그렇게 저 자신에게 더 집중하면서, 제가 정말로 원하는 것이 무엇인지, 제 삶을 어떻게 살고 싶은지를 더 명확히 알게 되었습니다.

이 과정에서 저는 깨달았어요. 우리 삶에서 가장 중요한 관계는 다른 사람과의 관계가 아니라 바로 '나'와의 관계라는 것을요. 우리가 자신을 사랑하고, 자신의 꿈과 열정을 존중할 때, 우리는 진정으로 행복하고 만족스러운 삶을 살 수 있습니다.

물론, 대외적인 관계가 중요한 사람들도 있습니다. 하지만 그런데도, 우리는 타인의 기대에 얽매이지 않고, 자기 행복과 성장을 우선시하는 삶을 선택할 수 있습니다. 우리의 삶은 타인에 의해 정의되는 것이 아니라, 우리 자신의 선택과 노력으로 만들어집니다.

그러니 우리는 모두 우리 자신을 믿고, 우리 삶의 주인공으로 당당히 나아가야 합니다. 모든 사람과 좋은 관계를 맺으려 애쓰는 것보다는, 자신과의 관계를 가장 중요하게 여기고, 자기 행복과 성장을 최우선으로 생각해야 합니다. 자신에게 투자하는 시간을 늘림으로써, 우리는 더 많은 성장을 경험하고, 더 나은 '나'를 발견할 수 있습니다.

우리가 살아가면서 만나는 사람 중에서는 우리의 삶에 긍정적인 영향을 주는 사람도 있고, 반대로 우리의 에너지를 빼앗고 감정적으로 지치게 만드는 사람도 있습니다. 중요한 것은 어떤 관계가 우리에게 진정으로 의미 있는지를 분별하는 능력을 길러나가는 것입니다. 진정으로 우리를 지지하고, 우리의 꿈과 행복을 응원해 주는 사람들과의 관계에 더 많은 시간과 노력을 투자하는 것이 우리 삶의 질을 높여줄 것입니다.

또한, 우리 자신의 한계와 감정을 인식하고, 자신을 보호하는 것도 중요합니다. 모든 사람을 만족시키려 하다 보면 우리 자신의 감정과 필요가 무시되기 쉽습니다. 때로는 '아니요'라고 말할 줄 아는 용기도 필요합니다. 우리의 시간과 에너지는 한정되어 있으므로, 우리에게 진정으로 중요한 것에 초점을 맞추고, 우리 삶의 질을 향상하는 데 사용해야 합니다.

마지막으로, 자신에게 집중하고 자신의 꿈을 추구하는 과정에서 외로움을 느낄 수도 있습니다. 하지만 이러한 외로움은 잠시일 뿐, 자기 자신과의 관계를 깊게 하고, 자신만의 길을 걷는 과정에서 얻는 성취감과 자유는 그 어떤 것과도 바꿀 수 없는 값진 경험이 될 것입니다.

우리가 모두 모든 사람과 좋은 관계를 유지하려 애쓰는 것보다는, 자기 행복과 성장에 더 집중하는 삶을 살아갈 때, 우리는 진정으로 만족스러운 삶을 살 수 있습니다. 자신을 믿고, 자신의 길을 당당히 걸어가세요. 그 과정에서 진정한 자아를 발견하고, 더 나은 '나'로 성장할 수 있을 것입니다.

3. 메모를 통해 진짜 나를 발견하는 방법

3.1. 메모로 어제의 나, 오늘의 나 차이를 발견하다

우리 삶에서 메모는 작지만 강력한 힘을 가진 도구입니다. 저처럼 매일 여러 기기에 수많은 메모를 남기는 사람도 있을 것입니다. 이렇게 꾸준히 메모하는 이유는, 단순히 일정을 기억하기 위함이 아니라, '나'라는 사람이 시간을 어떻게 보내고 있는지, 그리고 내면의 나는 어떤 사람인지 깊이 이해하고자 함입니다.

그럼, 효과적인 메모 방법이 따로 있을까요?
일기나 바인더 쓰는 걸 좋아하는데 왜 자꾸 까먹을까요?
일기나 바인더는 특별한 날에만 쓰게 됩니다. 그리고 항상 들고 다니지 않으면 잊어버리게 됩니다. 하지만 우리에게 익숙한 종이 위에 펜으로 적는 메모는 언제 어디서나 쉽게 쓸 수 있다는 장점이 있습니다. 그런데도, 어디서든 쉽게 꺼낼 수 있는 종이와 펜을 이용한 메모는 여전히 제 삶에서 빛나고 있습니다.

메모의 뿌리인 'memoir'는 라틴어로 '기억'을 의미합니다. 우리가 무언가를 기억하려고 노력하듯이 기록한다는 의미입니다. 하지만 단순하게 머릿속에 저장되어 있는 정보를 꺼내 적는 행위만을 뜻하는 건 아닙니다. 실제로 메모장에 적힌 내용들이 나중에 큰 도움이 될 때가 많기 때문입니다. 그렇다면 어떻게 해야 좋은 메모를 할 수 있을까요? 좋은 메모 습관이란 어떤 걸까요? 그것은 시간 관리라고 생각합니다. 사람마다 각자에게 주어진 시간은 모두 다릅니다. 누군가는 1분이면 해결되는 일을 다른 누군가는 10분 이상 걸릴 수 있습니다. 그러므로 자신만의 시간 관리 노하우를 가지고 있어야 합니다.

예를 들어 직장인이라면 업무와 휴식 시간을 구분해야 효율적으로 일할 수 있습니다. 학생이라면 공부 계획을 세워서 실천할 수 있습니다. 그리고 취미생활을 하는 경우라면 좋아하는 음악을 들으면서 그림을 그리거나 책을 읽는 등 자기만의 방식으로 스트레스를 해소할 수 있습니다. 이렇듯 모든 사람에게는 저마다의 시간 관리 노하우가 존재합니다.

스마트폰 앱으로도 메모하는데 굳이 종이 위에 써야 할까요? 디지털 시대라고 해서 모든 것을 디지털화해야 한다는 편견은 버리셔야 합니다. 오히려 손으로 직접 쓴 메모 한 장이 자신만의 개성을 표현하기엔 훨씬 좋은 시대입니다. 그리고 컴퓨터 화면보다는 종이 위에 적힌 글씨가 눈에 더 잘 들어오기도 합니다. 이제부터라도 작은 수첩 하나 마련하셔서 조금씩이라도 적어보세요. 분명 달라진 점을 직접 느끼실 수 있을 것입니다.

그럼 어떻게 메모하면 좋을까요?

가장 먼저 떠오르는 건 역시 포스트잇입니다. 책상 앞 벽에 붙여 놓고 그때그때 떠오른 아이디어를 적거나 일정을 정리하면 좋습니다. 아니면 아예 큰 노트를 사서 그날그날 있었던 일을 쭉 나열하거나 마음에 드는 문장을 옮겨 적어 보는 것도 좋습니다. 이때 주의해야 할 점은 너무 많이 적지 않는 것입니다. 시작부터 욕심내서 이것저것 적다 보면 나중에 뭘 썼는지 헷갈릴 수도 있습니다. 그러니 딱 세 줄씩만 작성해 보세요. 그러면 부담 없이 계속 이어나갈 수 있습니다.

아무리 사소한 내용이라도 시간이 지나면 다 추억이 된다는 말 들어보셨나요?
아무리 사소한 사진이라도 시간이 지나면 다 추억이 되는 것처럼 말입니다.
차곡차곡 쌓인 메모장을 보면서 당시 느꼈던 감정을 떠올리면 그것만큼 뿌듯한 순간도 없을 것입니다. 누군가는 메모를 시작하기에 너무 늦었다고 생각할 수도 있지만, 사실은 그렇지 않습니다. 메모를 시작하는 것은 언제든지 가능하며, 오늘부터라도 작은 메모부터 시작해 보세요. 그것이 당신의 삶에 어떤 긍정적인 변화를 불러오는지 직접 경험할 수 있을 것입니다.

메모를 통해 우리는 '진짜 나'를 발견하는 여정을 시작할 수 있습니다. 우리가 어떤 생각을 하고, 어떤 감정을 느꼈으며, 어떤 꿈을 꾸었는지 기록하는 것은 자신을 더 깊이 이해하고, 더 나은 내일을 발판을 제공합니다. 그러니 오늘부터라도 메모를 통해 당신의 일상, 생각, 꿈을 기록해 보세요. 그 속에서 진짜'나'를 발견하고, 당신만의 이야기를 만들어가는 여정을 즐겨보세요. 이 작은 습관이 삶을 얼마나 풍부하게 만들어줄지, 스스로 가장 먼저 놀랄 것입니다.

3.2. 메모로 꿈 방정식을 수립한다

우리가 꿈을 가지고 있다는 건 참 멋진 일입니다. 하지만 그 꿈을 실현하기 위해선 단순히 꿈꾸기만 해서는 안 됩니다. 여기서 메모가 강력한 도구로 등장합니다. 제가 어떻게 메모를 통해 꿈의 방정식을 수립했을까요?

메모 = 기록 = 꿈

하루하루를 살아가면서, 저는 포스트잇에 제 꿈을 조금씩 기록하기 시작했습니다. 처음엔 간단한 문장으로 '오늘 내가 꿈꾸는 것'을 작성했습니다. 이 작은 행동은 저에게 큰 변화를 불러왔습니다. 저는 저만의 꿈을 분명히 정의하고, 그 꿈을 실현하기 위한 구체적인 목표와 계획을 세우기 시작했습니다.

예를 들어, 제 꿈 중 하나는 가족과 더 많은 시간을 보내는 것이었습니다. 이를 위해, 저는 ''일주일에 한 번은 가족과 함께하는 특별한 시간을 갖기'라는 목표를 세웠고, 이를 위한 구체적인 계획을 세웠습니다. 그리고 저는 직장에서의 성장도 꿈꿨습니다. 이를 위해 '새로운 기술 배우기', '업무 효율성 높이려는 방법 찾기' 등의 목표를 세우고, 그것을 달성하기 위한 계획을 세웠습니다.

이 과정에서 메모가 중요한 역할을 했습니다. 메모는 제가 설정한 목표를 기억하게 해주고, 계획을 점검하게 해주었습니다. 매일 두 줄씩 기록하면서, 제가 어떤 방향으로 나아가고 있는지, 무엇을 이루고 싶은지를 끊임없이 상기시켜 주었습니다.

물론 도전과 역경이 없었던 것은 아닙니다. 때때로 저는 제 계획이 흔들리는 것을 느꼈고, 목표를 달성하기 어려워 보일 때도 있었습니다. 그럴 때마다, 저는 제가 쓴 메모를 다시 읽어보았습니다. 그리고 그 메모들이 저에게 용기와 동기를 유발하였습니다. 역경이 닥쳤을 때, 저는 메모에 새로운 해결책과 아이디어를 작성했습니다. 그리고 그것들이 저를 다시금 전진하게 만들어 주었습니다.

이렇게 메모는 제 꿈을 현실로 만드는 데 있어서 강력한 도구가 되었습니다. 메모를 통해 저는 제 꿈을 분명히 할 수 있었고, 그 꿈을 실현하기 위한 구체적인 방정식을 수립할 수 있었습니다. 무엇보다 메모는 저에게 꿈을 포기하지 않고 계속해서 도전하라는 메시지를 주었습니다.

당신의 꿈을 작은 포스트잇에서 하루에 두 줄씩 적어보세요. 그리고 그 기록을 통해 당신만의 꿈 방정식을 만들어보세요. 처음엔 사소한 것으로 시작해도 좋습니다. 중요한 건 꿈을 향한 당신의 마음가짐과 작은 행동들이 모여 큰 변화를 만들어낸다는 것을 기억하는 것입니다.

당신이 꿈을 이루기 위한 목표와 계획을 실행할 때, 메모는 당신의 길잡이가 될 것입니다. 어려움을 만났을 때, 당신이 얼마나 멀리 왔는지, 그리고 왜 이 길을 선택했는지 기억나게 해줄 것입니다. 메모는 이 모든 과정을 기록하고, 당산이 어디로 가고 있는지 보여주는 나침반이 될 것입니다.

3.3. 나의 감정 메모로 진짜 나를 돌아보고 사랑한다

삶은 매일 다양한 감정의 파도에 휩싸여 있습니다. 때로는 기쁨으로 가득 차 있고, 때로는 슬픔이나 분노로 얼룩져 있습니다. 그렇게 이 모든 감정이 우리가 어떻게 받아들이고, 이해하며, 긍정적으로 변화시킬 수 있을까요? 제 경험을 통해 그 해답을 찾을 수 있었던 방법이 바로 '감정 메모'였습니다.

아침에 아이들을 깨우고, 학교에 가기가 싫다고 불평할 때, 또는 남편이 아침 반찬이 맛없다고 불평할 때의 그 감정들을 메모했습니다. 처음엔 단순히 그 순간의 감정을 기록하는 것에 불과했지만, 점점 이 메모가 저에게 많은 것을 알려주고 있다는 걸 깨달았습니다. 왜 그런 감정을 느꼈는지, 그 감정이 나에게 어떤 메시지를 전달하고 있는지를 더 깊이 이해할 수 있게 되었습니다.

이러한 감정 메모는 저에게 진정한 나를 발견할 수 있는 창이 되었습니다. 매일의 감정을 기록하며, 그 감정들을 통해 저 자신을 돌아보고, 무엇이 저를 화나게 하고, 무엇이 저를 기쁘게 하는지를 이해하게 됐습니다.

한번은 정말 힘든 날이 있었습니다. 충격적인 소식을 듣고 마음이 매우 무거운 날이었습니다. 그때 저는 감정 메모의 힘을 다시 한번 느낄 수 있었습니다. 제 감정을 있는 그대로의 단어로 표현하며 기록했습니다. 그리고 그 메모를 보면서 저 자신을 진정시키고 위로했습니다. 이러한 과정에서 제 마음이 한결 가벼워지는 걸 느낄 수 있었습니다.

이처럼 감정 메모는 자신의 감정을 다스리는 방법을 배우는 데 도움을 줄 수 있습니다. 때로는 슬픔, 기쁨, 분노, 두려움 등 우리의 감정이 우리 자신을 압도할 수 있지만, 감정 메모를 통해 이러한 감정들을 하나씩 이해하고 받아들이면서 우리는 이 감정들과 더욱 조화롭게 살아가게 됩니다.

그렇게 감정 메모 템플릿을 만들게 되었고, 주위의 사람들이 직접 자신의 감정을 메모해 봤습니다. K는 생각을 글로 정리하는 부분이 좀 힘들긴 했지만 우울하거나 불편한 감정이 들 때 감정들을 조금 더 빨리 정리하고 내보낼 수 있었고 감정이 정리되었다고 합니다. 또 다른 K는 감정을 들여다보고 기록해 보니 감사한 일, 만족하는 일 등 내 생활의 긍정을 더 많이 찾는 시간이 되었고, 부정의 감정도 공감해 주며 바라보는 시간을 가졌다고 하였습니다.

그러니 오늘부터라도 감정 메모를 시작해 보세요. 감정을 기록하는 것이 단순한 행위를 넘어서, 당신이 진정한 자기 자신을 발견하고, 자신을 더 깊이 사랑하게 될 중요한 첫걸음이 될 것입니다. 나의 감정을 이해하고, 그것을 통해 자신을 사랑하는 여정은 자신을 더욱더 강하게 만들고, 행복한 사람으로 만들어 줄 것입니다.

오늘의 감정

월 일

1 2 3 4 5 6 7

시간	나의 감정은 어떠한가?	나는 무슨 생각을 하고 있는가?	어떻게 하면 지금의 감정이 해결되는가?

일주일 감정 피드백

월 주

일주일간의 감정을 피드백해 보세요.
매주 일요일 저녁 8시 스마트폰 알람을 설정해 주세요.
30분 시간을 내어 지난 일주일간 기분이 어떤지 생각해 보세요.
요일별 점수, 기분, 관련된 신체적 감각, 무엇을 했는지,
누구와 함께했는지 기록해 보세요.

요일	점수	감정 상태	신체적 감각	활동&사람

이번주 나에게 쓰는 편지

월 주

일주일 동안 나는 언제 화가 났는지, 무엇 때문에 감정이 상했는지,
어떤 걱정을 하였는지, 얼마나 자주 웃었는지 확인해 보세요.
그리고 나에게 주는 메시지를 통해 이번 주도 '잘 살았구나',
'다음 주는 더 잘살아 보자' 등 자신에게 주는 편지 작성해 보세요.

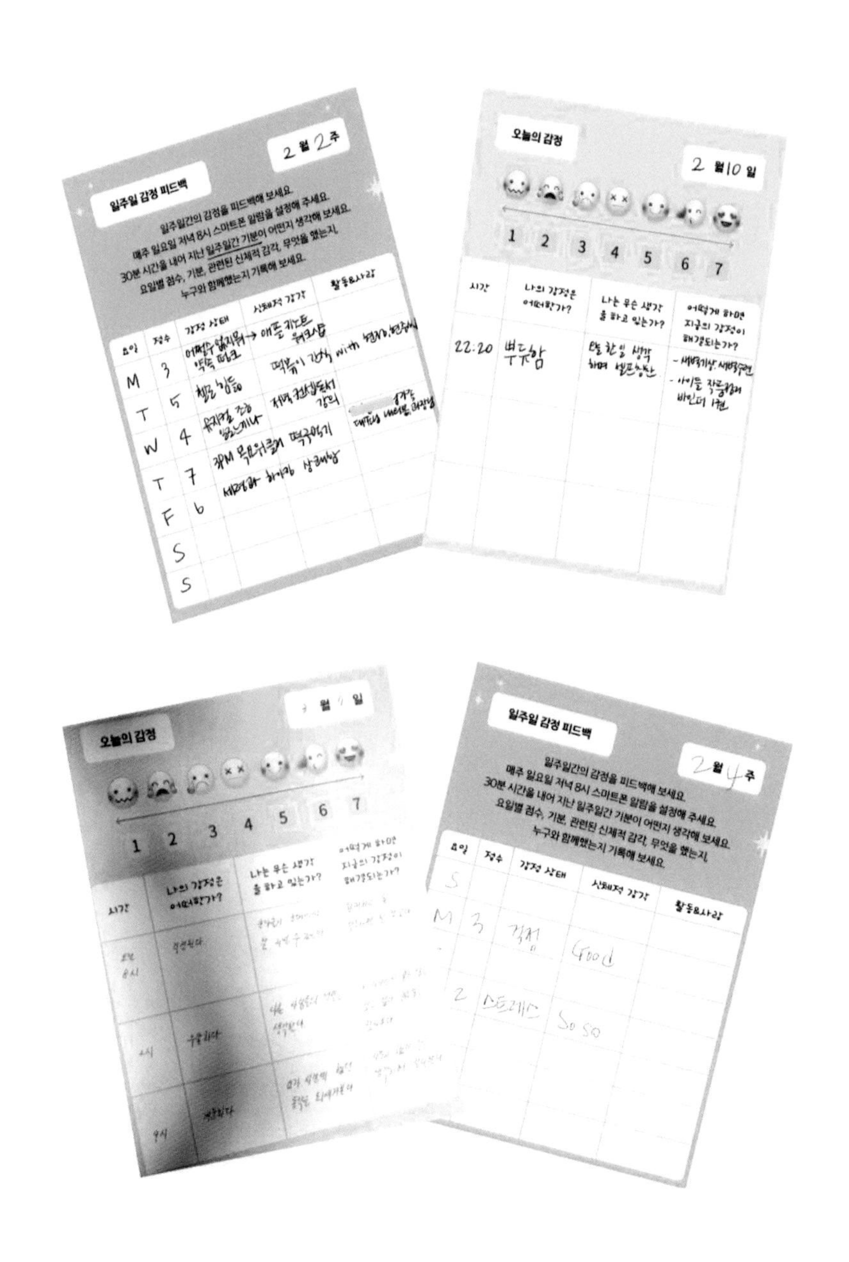
일주일 감정 피드백
2 월 2 주
일주일간의 감정을 피드백해 보세요.
매주 일요일 저녁 8시 스마트폰 알람을 설정해 주세요.
30분 시간을 내어 지난 일주일간 기분이 어떤지 생각해 보세요.
요일별 점수, 기분, 관련된 신체적 감각, 무엇을 했는지,
누구와 함께했는지 기록해 보세요.
오늘의 감정
2 월 10 일
1 2 3 4 5 6 7
오늘의 감정
1 2 3 4 5 6 7
일주일 감정 피드백
2 월 4 주
일주일간의 감정을 피드백해 보세요.
매주 일요일 저녁 8시 스마트폰 알람을 설정해 주세요.
30분 시간을 내어 지난 일주일간 기분이 어떤지 생각해 보세요.
요일별 점수, 기분, 관련된 신체적 감각, 무엇을 했는지,
누구와 함께했는지 기록해 보세요.

TALKING OUT

삶에서 마주치는 도전을 극복하려는 방법은?

옛날 옛적에, 신들의 세계와 인간의 세계가 공존했을 때의 이야기입니다. 지혜의 여신 아테나는 자신의 꿈을 실현하기 위해 인간 세계를 자주 방문했습니다. 그녀는 용기와 지혜를 가진 인간들에게 도전을 주어 그들이 자기 잠재력을 발견하고 성장할 수 있도록 도와주었습니다.

어느 날, 두 마리의 작은 물고기가 거대한 괴물로부터 도망치는 모습을 아테나가 목격했습니다. 괴물은 인간과 신들의 평화를 위협하는 존재였습니다. 아테나는 두 물고기가 서로 협력하여 위험을 피하는 모습에서 깊은 감명을 받았습니다. 이게 그녀는 두 물고기를 별자리로 올려보내 그 용기와 팀워크의 정신을 영원히 기리기로 결심했습니다.

이 우화에서 "물고기자리의 꿈"은 개인의 성장과 발전을 상징합니다. 두 물고기가 서로 협력하여 위험을 극복한 것처럼, 우리의 삶에서도 마주치는 도전을 극복하기 위해 주변 사람들과 협력하고 서로를 지지하는 중요성을 깨닫게 해줍니다. 또, 아테나 여신이 두 물고기를 별자리로 올려보낸 행동은 우리의 노력과 성취를 기리고 영원히 기억하려는 의지를 상징합니다.

이를 통해 꿈을 성장시키고 실현하는 여정에서 협력, 용기, 그리고 끈기의 중요성을 다시 한번 일깨워줍니다.

"꿈을 실현하기 위한 비밀은 시작하는 것이다. 그 비밀의 키는 특별한 능력이나 기술이 아니라, 당신의 꿈을 실현하기 위한 행동을 시작하는 용기와 결심이다."

- 요한 볼프강 폰 괴테

PART 03. 꿈 실현하기

1. 꿈을 실현하는 1년 기록

1.1. 1년을 살기 위한 한 달의 의미

인생을 살아가면서 우리는 자주 '더 나은 나'를 꿈꾸며 살아갑니다. "목표 없는 삶은 항해 없는 배와 같다"라는 말처럼, 우리의 삶도 분명한 목표와 계획이 필요합니다. 그래서 저는 올해를 잘 살아가기 위한 작은 실험을 시작했습니다. 저의 버킷리스트에는 다양한 활동과 목표가 적혀 있었고, 매달 그것을 실천하기 위해 저만의 계획을 세웠습니다.

제 꿈 중 하나는 더 건강한 삶을 영위하는 것이었습니다. 그래서 저는 아침 수영을 시작하기로 했습니다. 처음에는 정말 힘들었어요. 하지만 매일 수영한 것을 기록하며, 어떤 날은 물살을 가르며 힘차게 나아갔고, 어떤 날은 조금 힘들어도 물에 몸을 맡긴 기억을 다 적었습니다. 한 달이 지나고 나서 이 기록을 보며, 저는 저 자신이 얼마나 성장했는지, 조금씩 목표에 다가가고 있다는 것을 실감할 수 있었습니다.

이처럼, 한 달 동안의 의미 있는 활동을 선택하고, 그 과정을 기록하는 것은 자신과의 약속을 지키고, 일상에서 큰 성취를 발견하는 방법입니다. 만약 예술에 관심이 있다면 그림을 그리거나 음악을 연습하는 것을 목표로 할 수 있고, 새로운 기술을 배우고 싶다면 온라인 강의를 듣거나 책을 읽는 것도 좋습니다. 중요한 것은 그 과정에서 자신을 잃지 않고, 자신만의 가치를 발견하는 것입니다.

이러한 작은 목표들을 세우고 실천하는 과정에서, 우리는 날마다 의미 있게 만들 수 있습니다. 가령, 매일 아침 일찍 일어나는 것부터 시작해 볼 수 있습니다. 처음에는 힘들지만, 그 작은 습관이 점차 큰 변화를 만들어내는 것을 경험할 수 있을 것입니다. 이런 변화들은 우리가 1년을 돌아보았을 때, 우리 자신이 얼마나 많이 성장했는지를 보여줍니다.

한 달 동안의 의미 있는 활동을 통해 우리는 자신만의 작은 성공을 경험하고, 그것이 모여 1년 동안의 큰 변화를 만들어낼 수 있습니다. 이 과정에서 중요한 것은 자신에게 집중하고, 자신의 꿈을 실현하기 위해 노력하는 것입니다. 자기 삶에 대한 책임을 지고, 매일의 작은 변화를 통해 꿈을 현실로 만들어가세요.

우리의 삶은 우리가 만들어가는 것입니다. 매일의 작은 선택과 노력이 모여, 궁극적으로 우리의 꿈을 실현하는 큰 결과를 만들어냅니다. 그러니 오늘부터라도 작은 목표를 세우고, 그것을 실천해 나가세요. 점차 자기 삶에서 변화를 경험하게 될 것입니다.

날마다 의미 있게 보내는 것, 그것이 바로 꿈을 향한 여정에서 가장 중요한 열쇠입니다. 한 달 동안의 목표를 세우고, 그것을 실천하면서, 우리는 스스로에 대해 더 많이 알게 되고, 우리가 진정으로 원하는 것이 무엇인지 발견하게 됩니다. 이 과정에서 자기 자신과의 약속을 지키는 것은, 자기 자신을 존중하고 사랑하는 행위와도 같습니다.

물론, 모든 계획이 항상 완벽하게 이루어지는 것은 아닙니다. 때로는 예상치 못한 장애물이 나타나기도 하고, 우리의 의지가 약해질 때도 있습니다. 하지만 중요한 것은 그런 순간마다 포기하지 않고, 다시 일어나서 계획했던 목표를 향해 나아가는 것입니다. 실패와 장애는 꿈을 향한 여정에서 피할 수 없는 부분이지만, 그것들을 극복하는 과정에서 우리는 더 강해지고, 우리의 꿈에 한 걸음 더 가까워집니다.

그러니 올해를 시작하며 세웠던 꿈들을 다시 한번 생각해 보세요. 그리고 그 꿈들을 실현하기 위한 작은 목표를 매달 세우고, 그것을 달성하기 위해 노력하세요. 그 과정에서 얻는 소소한 성취감과 자신감은, 결국 큰 꿈을 이루는 데 있어서 가장 강력한 원동력이 될 것입니다.

마지막으로, 자신의 여정을 기록하는 것을 잊지 마세요. 일기를 쓰거나, 사진을 찍는 등 자신만의 방식으로 매일의 성장과 변화를 기록해 보세요. 이 기록들은 나중에 돌아보았을 때, 자신이 얼마나 멀리 왔는지를 보여주는 소중한 증거가 될 것입니다. 그리고 그 기록들은 앞으로 나아가야 할 방향을 결정하는 데도 중요한 가이드가 될 것입니다.

우리 모두의 삶은 우리의 선택과 노력으로 만들어집니다. 꿈을 향해 나아가는 여정에서 중요한 것은 크고 멋진 성공을 이루는 것만이 아닙니다. 매일의 적은 노력과 성취, 그리고 그 과정에서 발견하는 자기 모습이 바로 가장 소중한 것입니다. 그러니 지금, 이 순간부터, 꿈을 실현하기 위한 당신의 여정을 시작하세요. 당신의 꿈이 실현되는 그날까지, 당신은 결코 혼자가 아닙니다.

이러한 한 달의 의미 있는 활동과 도전이 1년을 살게 하는 힘이 됩니다.

1.2 꿈과 비전을 잇는 1년의 방향성 찾기

새해가 시작되면 우리는 종종 큰 꿈과 함께 새로운 약속을 마음 속에 품곤 합니다. "올해는 정말로 달라질 거야!"라며 스스로에게 다짐하지만, 그 꿈들을 현실로 만들기 위해서는 무엇보다 먼저, 우리가 꿈꾸는 것이 무엇인지 명확히 알고 그 꿈을 향해 나아갈 구체적인 방향을 잡아야 합니다. 이건 마치 어둡고 안개 낀 밤에 배를 안전하게 항구로 이끄는 등대처럼, 우리 삶의 여정에도 분명한 목적과 방향을 제공하는 것과 같습니다.

제 이야기를 예로 들어보겠습니다. 저는 언젠가 멋진 책을 내고 싶은 꿈이 있습니다. 그래서 올 한 해 동안, 매달 최소 하나의 글을 써서, 작은 전자책을 만들어 내는 걸 목표로 삼았습니다. 매일 아침 일찍 일어나서, 조용히 글을 쓰는 시간을 가지기로 했습니다. 그리고 매달 그달에 쓴 글을 모아 전자책을 만들 때마다, 그 과정에서 느낀 점, 배운 점을 모두 기록하기로 했습니다.

이렇게 구체적인 목표와 계획을 세우고 그것을 실행해 나가면서, 저는 저만의 꿈과 비전을 더 확고히 할 수 있었어요. 즉, '글쓰기를 통해 사람들에게 영감을 주고 싶다'라는 제 꿈이 점점 더 명확해지고, 실현 가능해졌답니다.

꿈을 현실로 만들기 위해서는 우리의 꿈과 비전이 무엇인지 분명히 아는 것이 무엇보다 중요합니다. 그리고 그 꿈을 실현하기 위한 목표와 계획을 세워야 합니다. 하지만, 무엇보다 중요한 건, 그 목표와 계획을 실행에 옮기는 과정에서 자신을 계속해서 성장시키고, 새로운 도전을 하는 것입니다.

이 여정은 항상 쉽지만은 않습니다. 때로는 너무 힘들어 포기하고 싶을 때도 있고, 우리의 의지가 시험받을 때도 있습니다. 하지만, 우리가 꿈꾸는 것을 생각할 때마다, 그 꿈과 비전이 우리에게 힘을 주고 다시 일어설 수 있게 해준다는 걸 기억하세요. 우리가 꿈을 갖고 있다는 것만으로도, 우리는 이미 어떤 어려움도 극복할 힘을 가지고 있다는 것을요.

그러니 올해, 자신의 꿈과 비전을 명확히 하고, 그 꿈을 실현하기 위해 어떤 방향으로 나아갈지 고민해 보세요. 그 과정에서 자신을 더 발전시키고, 새로운 도전에 맞서 보세요. 어쩌면 그 도전이 우리가 꿈꿔온 미래로 한 발짝 더 나아가는 길잡이가 될 거예요. 우리가 마주치는 모든 순간, 모든 도전은 사실 우리가 더 큰 꿈을 향해 나아갈 수 있도록 돕는 소중한 기회들입니다.

예를 들어, 내가 꿈꾸는 작가가 되기 위해선, 단순히 책을 출판하고 싶다는 생각만 하는 것보다, 매일 조금씩 글을 쓰고, 그 글들을 모아서 출판할 수 있는 구체적인 계획을 세우고 실천하는 것이 중요합니다. 그리고 그 과정에서 만나는 어려움과 실패도, 우리가 더 나은 글을 쓰고, 더 나은 작가가 될 수 있도록 도와주게 됩니다.

또한, 자신의 꿈을 향한 여정에서 중요한 건, 주변 사람들과의 관계에서도 선택과 집중을 하는 것입니다. 우리를 진정으로 지지해 주고, 우리의 꿈을 응원해 주는 사람들과의 관계를 소중히 하면서, 그들로부터 긍정적인 에너지와 영감을 받으세요. 반면, 우리의 에너지를 빼앗고, 우리의 꿈을 의심하게 만드는 사람들로부터는 적절히 거리를 두는 것도 때로는 필요합니다.

이 모든 것은 결국, 우리 스스로가 우리 삶의 주인공이 되어, 우리의 꿈을 향해 자신 있게 나아가야 한다는 것을 의미합니다. 우리의 삶은 우리가 선택하고 결정하는 대로 펼쳐집니다. 그러니 두려움을 떨치고, 용기를 내서, 자신의 꿈을 향해 나아가세요. 그 과정에서 겪게 될 모든 경험은 결국 우리를 더 성장하게 하고, 우리의 꿈을 더 가까이 가져다줄 것입니다.

마지막으로, 꿈을 향한 여정에서는 자신에게 친절하게 대하는 것을 잊지 마세요. 우리 모두 완벽하지 않습니다. 때로는 실수하고, 넘어질 수도 있습니다. 하지만 그럴 때마다 자신을 용서하고, 다시 일어나서 꿈을 향해 나아가는 것이 중요합니다. 우리의 꿈은 우리가 꾸고, 우리가 실현해 나가는 것입니다. 그러니 자신의 꿈을 사랑하고, 그 꿈을 향해 매일 조금씩이라도 나아가세요. 그렇게 하다 보면, 어느새 우리는 꿈꿔왔던 그 미래를 현실로 만들고 있게 될 것입니다.

1.3. 1년을 바꾸는 매일의 3가지 습관

새해가 시작될 때, 우리는 종종 큰 결심과 함께 새로운 기대를 안고 시작합니다. "올해는 달라질 거야!"라고 마음속으로 다짐합니다. 그러나 정말 우리의 삶을 변화시키는 건 그런 큰 결심이 아니라, 바로 매일매일 꾸준히 실천하는 작은 습관들입니다. 저도 이번 새해를 맞아 삶을 변화시키고자 세 가지 작지만, 강력한 습관을 시작하기로 결심했습니다. 그건 바로 아침 명상, 아침과 저녁에 일기 작성하기, 그리고 감사 일기를 쓰는 것입니다.

첫 번째, 아침 명상은 제 하루를 평온하게 시작하는 비결이 됐습니다. 처음에는 '명상'이란 단어가 다소 거창하게 느껴졌습니다. 하지만 유튜브에서 간단한 가이드를 따라 해보니, 조금씩 내면의 평화를 느낄 수 있었습니다. 몇 분간 호흡에 집중하며 마음을 가다듬는 것만으로도, 하루를 보다 긍정적이고 집중력 있게 시작할 수 있게 되었습니다.

두 번째 습관은, 아침에는 그날의 목표와 기대를, 저녁에는 그날 있었던 일과 그로 인해 느낀 감정을 적는 일기 쓰기입니다. 이 일기를 통해 저는 저 자신에 대해 더 깊이 이해하게 됐습니다. 매일의 작은 성취와 감정을 기록하는 것은 저에게 큰 기쁨을 주었습니다.

세 번째로, 감사 일기를 쓰기 시작했습니다. 매일 저녁, 그날 제가 감사했던 순간들을 몇 가지 적는 것입니다. 처음엔 사소한 것들에 감사하는 게 어색했지만, 시간이 지나며 제 삶의 긍정적인 면을 더 많이 보게 되었습니다. 이 작은 습관들이 제 삶을 훨씬 더 풍요롭게 만들어 줬습니다.

"작은 변화가 큰 차이를 만든다." 이 말처럼, 이 세 가지 습관은 날마다 더 의미 있고 행복하게 만들어 줬습니다. 올해의 끝에 도달했을 때, 저는 자신 있게 말할 수 있을 것입니다. "이번 해는 정말 잘 살았다"고요. 그리고 이 모든 긍정적인 변화의 시작은 매일의 작은 습관에서 시작됐다는 걸 깨닫게 될 것입니다.

저처럼 여러분도 삶에 긍정적인 변화를 원한다면, 작은 습관부터 시작해 보세요. 아침 명상으로 하루를 평온하게 시작하고, 일기를 통해 자기 생각과 감정을 정리해 보세요. 그리고 감사의 순간들을 기록함으로써, 삶의 소중함을 다시 한번 느껴보세요. 이 작은 습관들이 여러분의 삶을 변화시키고, 날마다 더 행복하고 의미 있게 만들 수 있습니다. 각자의 삶에서 이러한 습관을 실천함으로써, 우리는 점차 자신만의 속도로 성장하고 발전해 나갈 수 있습니다.

작은 습관들이 모여 큰 변화를 이끈다는 것을 잊지 마세요. 명상을 통해 얻은 평온함, 일기로 정리한 생각과 감정, 감사 일기로 느낀 긍정적인 에너지는 모두가 서로 연결되어 있습니다. 이것들은 모두 하루하루를 더 충실하고 만족스럽게 만드는 데 이바지합니다.

또한, 이러한 습관들은 단순히 개인적인 만족뿐만 아니라 우리 주변 사람들과의 관계에도 긍정적인 영향을 미칠 수 있습니다. 평온한 마음으로 사람들과 대화하고, 자기 생각과 감정을 솔직하게 나누며, 주변 사람들에게 감사의 마음을 전할 때, 우리는 더욱 깊이 있는 인간관계를 구축할 수 있게 됩니다.

이러한 습관들을 통해 우리는 날마다 조금씩 자신의 꿈과 목표에 가까워질 수 있습니다. 그리고 한 해가 지나고 돌아보았을 때, 우리는 자신의 성장을 명확하게 느낄 수 있으며, 그 성장이 우리의 삶을 어떻게 변화시켰는지를 볼 수 있게 됩니다.

그러니 두려워하지 말고, 오늘부터라도 작은 습관을 시작해 보세요. 아침 명상으로 하루를 시작하고, 일기로 그날의 생각과 감정을 정리해 보며, 감사할 수 있는 순간들을 기록해 보세요. 이 작은 시작이 여러분의 삶에 큰 변화를 불러올 수 있습니다.

우리는 모두 자기 삶에서 변화를 만들어낼 힘이 있습니다. 단지 그 시작을 위한 작은 걸음을 떼는 것부터 시작해 보세요. 그 작은 걸음이 모여, 결국엔 큰 꿈을 향한 여정이 되고, 우리 삶을 변화시킬 수 있습니다. 여러분의 삶이 작은 습관으로 시작된 변화로 가득 차길 바랍니다.

1.4. 버킷리스트를 통한 꿈의 선명도

미래를 계획하는 일은 종종 우리를 막연한 꿈 꾸기의 세계로만 데려가는 것 같습니다. 우리는 새해가 되면 거창한 신년 계획을 세우고, 버킷리스트를 작성하며 이번에야말로 모든 것이 달라질 것이라는 희망에 부풀어 오릅니다. 그러나 대부분은, 우리의 계획은 실현되기는커녕 금방 잊혀 버리곤 합니다. 왜 그럴까요? 이는 우리가 자신의 현재 상태를 정확하게 이해하지 못하고, 구체적인 목표 없이 단지 꿈만 꾸기 때문입니다.

"목표 없는 인생은 방향을 잃은 배와 같다." - 이는 앤서니 로빈스의 말로, 우리가 꿈의 선명도를 높이기 위해서는 명확한 목표가 필요함을 강조합니다. 꿈을 이루기 위한 첫걸음은 바로 구체적인 버킷리스트를 작성하는 것입니다. 그러나 많은 사람이 '열심히만 하면 되겠지'하는 생각으로 살아가는 것이 현실입니다. 하지만 진정으로 미래를 향해 나아가기 위해서는 이보다 더 구체적인 계획이 필요합니다.

미래를 계획한다는 것은, 단순히 오늘을 잘 살아내는 것을 넘어서, 나의 6개월 후, 1년 후, 심지어 10년 후까지의 모습을 상상하고 계획하는 일입니다. 하지만 이런 장기 계획을 세우는 것은 대부분 사람에게 쉽지 않은 일입니다. 왜냐하면 우리 대부분은 자신의 미래를 구체적으로 상상해 본 적이 없기 때문입니다.

그렇다면, 버킷리스트를 통해 꿈의 선명도를 높이려면 어떻게 해야 할까요? 우선, 우리는 자신의 꿈과 목표를 명확히 해야 합니다. 그러고 나서, 그 꿈을 이루기 위한 단계별 목표를 세우고, 각 목표를 달성하기 위한 구체적인 계획을 세워야 합니다. 예를 들어, "올해 안에 외국어 하나를 유창하게 구사하겠다"라는 목표를 세웠다면, 그 목표를 달성하기 위해 매일 어떤 공부를 얼마나 해야 하는지 구체적으로 계획을 세우는 것입니다.

이 과정에서 중요한 것은, 우리가 설정한 목표에 대한 확신을 가지는 것입니다. "과연 이게 될까?"하는 의심 대신, "나는 할 수 있다"라는 믿음을 가지고 목표에 도전해야 합니다. 그리고 우리의 버킷리스트를 정기적으로 검토하고 업데이트하는 것도 필요합니다. 이는 우리가 꿈에 한 걸음 더 가까워지고 있음을 확인하고, 필요한 경우에는 새로운 목표를 추가하거나 기존의 목표를 수정할 수 있게 해줍니다.

먼저 평생 계획을 세워보시라고 예시를 보여드리면 한 글자도 작성하지 못하는 분들이 대부분입니다.
내가 20대라면 나의 30대를 구체적으로 생각해 본 적이 없기 때문입니다.

내가 30대라면 나의 40대를 구체적으로 생각해 본 적이 없기 때문입니다.
내가 40대라면 나의 50대와 60대를 구체적으로 생각해 본 적이 없기 때문입니다.

얼마 전 친구는 남편 얘기를 하면서 남편은 미래를 잘 살기 위해 지금 아껴야 한다면서 아껴도 너무 아낀다고 하면서 투정하였습니다. 한편으로는 그런 생각이 들었습니다. 그 사람은 돈이 있다고 가정하면 무엇을 하고 싶을까? 정녕 하고 싶은 일이 없어서 그런 걸까? 단지 돈을 모으기 위해서 그런 걸까? 라는 생각이 들었습니다. 이후 친구에게 이 미션은 남편에게 꼭 해보라고 얘기했는데요. 남편에게 돈이 많다고 했을 때 어떤 걸 해보고 싶은지 질문해 보라고 했습니다. 이후 얘기를 들어보니 캠핑카를 사서 전국 방방곡곡을 가고 싶다는 얘기와 다른 하고 싶은 것들을 10가지 넘게 얘기했다고 합니다.

미래를 잘 살기 위해 돈을 아끼는 것은 나쁜 것이 아닙니다. 단지 미래를 위해 현재도 투자할 줄 알아야 하는데 그 부분이 좀 안타까운 마음이 들었습니다. 이렇게 우리는 각자만의 방식으로 삶을 살아가고 계획합니다. 앞으로는 좀 더 구체적으로 나의 미래를 그려봄으로써 버킷리스트를 통하여 꿈의 선명한 시그널 그려보면 어떨까요?

1.5. 매일의 기록으로 상상이 아닌 현실화하라

매일의 기록이라는 것은 참으로 신기한 일입니다. 그것은 마치 꿈이라는 큰 그림을 한 조각씩 채워 나가는 과정과 같습니다. "꿈을 기록하는 것은 꿈을 향한 첫걸음이다."라고 누군가 말했듯이, 우리 모두의 바쁜 일상에서도, 엄마, 직장인 등 여러 역할을 하면서 살아가고 있습니다. 이 모든 역할 속에서 우리는 가끔 우리의 꿈을 잊곤 합니다. 하지만, 매일 조금씩 기록하다 보면, 우리는 다시 그 꿈을 발견하게 됩니다.

꿈을 그리는 작은 캔버스

이렇게 매일의 기록은 우리의 꿈을 그려나가는 작은 캔버스가 됩니다. 자녀와 더 많은 시간을 보내고 싶거나, 직장에서 성취를 꿈꾸든, 그 꿈들을 매일 조금씩 기록하는 것입니다. 헨리 데이비드 소로가 말했듯, "목표를 향해 나아가는 것은 진정한 삶을 살아가는 것이다. 우리의 가장 큰 꿈을 실현하는 순간, 우리는 이전에는 상상조차 할 수 없었던 새로운 경지에 도달한다." 이 작은 기록들이 모여 큰 꿈으로 이어집니다.

매일의 작은 실천

기록한 꿈을 실제로 만들어가기 위해서는, 그 기록들로부터 시작하는 작은 실천들이 필요합니다. "작은 행동이 모여 위대한 성취를 이룬다"라고 말한 빈센트 반 고흐의 말처럼, 아이와 함께 시간을 보내거나, 직장에서 성장하려는 목표를 세우고, 작은 단계부터 시작하는 것이 중요합니다. 이런 실천들이 모여 '시간이 없다'라는 말을 더 이상 하지 않게 됩니다.

작은 성취가 모여 큰 꿈으로

매일의 기록을 통해 작은 성취를 하나씩 쌓이기면, 그 성취들이 모여 점차 큰 꿈을 현실로 만듭니다. 알베르트 아인슈타인이 말했듯, "삶에서 가장 아름다운 것은 꿈이 실현될 수 있다는 것이다." 이 작은 성취를 통해 얻는 기쁨이 우리를 더욱 성장시키고, 꿈을 향해 나아가게 합니다.

시작은 작지만, 변화는 크게

작은 시작이 큰 변화를 불러온다는 걸 기억하세요. 오늘 적은 한 줄의 글이 내일의 변화를 만들고, 그 변화가 꿈을 실현하는 것입니다. 매일의 기록이 꿈을 향한 나침반이 되어줍니다. 길을 잃었을 때, 이 기록을 통해 다시 올바른 길을 찾을 수 있습니다.

이렇게 작은 실천 하나하나가 모여 꿈을 이루는 길을 만듭니다. "꿈을 꾸는 것만으로도 우리는 강해진다."라는 월트 디즈니의 말처럼, 매일의 기록으로 시작하는 이 여정은 당신의 삶을 변화시키고, 당신이 항상 꿈꾸었던 삶을 살아가게 할 것입니다. 오늘부터 시작되는 당신의 꿈 기록이 당신이 꿈꾸는 그 멋진 삶을 향한 첫걸음이 될 것입니다.

이 과정을 통해 우리는 자신이 진정으로 원하는 것이 무엇인지, 무엇을 향해 나아가고 있는지를 더 명확하게 인식하게 됩니다. " 진정으로 원하는 것을 알기 위해서는 기록해야 한다."라고 에프. 스콧 피츠제럴드는 조언했습니다. 그의 말처럼, 매일의 기록은 당신의 진정한 욕망을 발견하고, 그것을 향해 나아가는 길잡이가 됩니다.

마지막으로, 링컨이 말했듯, "미래를 준비하는 가장 좋은 방법은 오늘 최선을 다하는 것이다." 매일의 기록은 오늘 당신이 할 수 있는 제일 나은 방법의 하나입니다. 그 기록을 통해 매일 최선을 다하면, 자연스럽게 당신의 꿈은 현실이 될 것입니다.

그 작은 시작이 결국 당신의 삶을 크게 변화시키고, 당신이 꿈꾸던 멋진 미래를 실현하는 토대가 될 것입니다. 당신의 꿈이 실현되는 그날까지, 매일의 기록으로 당신의 여정을 조금씩 만들어가세요. 당신의 꿈을 향해 첫걸음을 내딛는 것, 그것이 바로 진정한 시작입니다.

2. 보통의 삶을 삭제하라

2.1. 보통 사람처럼 살고 싶다는 것에 대한 의심

우리는 종종 "보통의 삶"이라는 말을 듣거나 말하면서, 그 안에서 편안함을 찾으려 합니다. 하지만, 정말 우리가 원하는 것이 그저 평범한 일상일까요? 때로는, "나는 그냥 평범하게 살고 싶어"라는 생각이 우리 자신의 깊은 내면에서 나오는 것이 아니라, 사회적 기대나 압박 때문에 나오는 말일 수 있습니다. 우리가 진정으로 추구해야 할 것은, 자신만의 길을 찾아 나가는 것이지, 주변의 기준에 맞추어 살려고 애쓰는 것이 아닙니다.

스티브 잡스가 말했듯이, "남의 인생을 살아가는 데 너의 소중한 시간을 낭비하지 마라." 이 말은 우리 각자에게 주어진 독특한 재능과 열정을 살리며, 자신만의 길을 걸어가야 함을 일깨워줍니다. 우리가 진정으로 원하는 것이 무엇인지, 그리고 그 꿈을 실현하기 위해 어떤 노력을 해야 하는지 고민해 보는 것이 중요합니다.

우리의 진정한 꿈을 찾기 위해서는 우선 자신에게 솔직해져야 합니다. "정말 내가 원하는 삶은 무엇인가?"라는 질문에 대한 답을 찾는 것에서부터 시작합니다. 그리고 그 꿈을 실현하기 위해,

필요한 계획을 세우고, 작은 단계부터 실행에 옮겨야 합니다. 꿈을 향한 여정은 때로는 외롭고 힘들 수 있지만, 우리를 진정으로 응원해 주는 사람들을 만나고, 그들과 함께 성장하는 과정은 그 자체로도 큰 가치가 있습니다.

"보통의 삶"을 넘어서려는 우리의 도전은, 결국 우리 자신을 더 잘 알게 되고, 우리의 잠재력을 최대한 발휘할 수 있는 기회를 제공합니다. 보통 사람처럼 살고 싶다는 생각이 들 때마다, 우리는 자신이 진정으로 원하는 삶에 대해 다시 한번 생각해 볼 필요가 있습니다. 평범함에 만족하는 것이 아니라, 우리 자신의 꿈과 열정을 따라가는 것이야말로 우리가 살아가야 할 진짜 삶입니다.

그러니 지금, 이 순간부터, 자신만의 꿈을 찾아 나서는 여정을 시작해 보세요. 어쩌면 그 길은 예상치 못한 도전과 어려움이 가득할 수도 있지만, 그 과정에서 우리는 진정한 자신을 발견하고, 더 큰 행복과 만족을 경험할 수 있을 것입니다. 보통의 삶을 넘어서 우리만의 독특한 길을 걸으며, 진정으로 원하는 삶을 살아가는 것, 그것이 바로 우리가 지향해야 할 진짜 삶입니다.

2.2. 보통 사람을 원하면 미래 가난이 플러스 된다

"보통"이라는 삶을 선택하는 것은 마치 안정적인 항해를 꿈꾸는 것과 같습니다. 바다는 평온해 보이고, 우리의 배는 조용히 물결을 가르며 나아갑니다. 하지만 이런 선택이 우리를 진정으로 원하는 목적지로 이끌 수 있을까요? 더 나은 미래를 향한 꿈은 때론 우리로 하여금 더 넓은 바다로 나아가 도전하는 마음을 갖게 합니다. 하지만 이 도전을 시작하기 위해선 우리의 마음가짐에 조금 다른 설정이 필요합니다.

"보통"의 삶과 미래의 가능성

"보통"의 삶을 선택하는 것은 편안하고 안정적이라는 이유로 많은 사람들에게 매력적입니다. 이 선택이 잘못되었다고 말할 수는 없지만, 우리가 그 안에서 진정으로 원하는 것을 달성할 수 있을지는 다시 생각해 봐야 합니다. 보통 사람으로 남아있다면, 우리는 미래에 가난해질 수 있는 큰 가능성을 안고 살아가게 됩니다. 왜냐하면, 보통 사람들은 대개 자신의 꿈을 포기하고, 더 안전하다고 여겨지는 선택을 하기 때문입니다.

꿈을 향한 긍정적인 마음 설정

꿈을 향해 나아가는 것은 단순히 미래의 가난을 피하는 방법이 아니라, 우리 삶을 풍요롭게 만드는 방법입니다. 꿈을 실현하기 위해선, 목표를 설정하고, 스킬과 지식을 개발하며, 창의적인 아이디어를 찾아내야 합니다. 이 모든 것은 우리가 "보통"의 삶을 넘어설 수 있게 도와줍니다.

현재의 편안함과 미래의 투자

편안함을 위해 현재의 자원을 소비하는 것은 마치 미래의 자신으로부터 빌려 쓰는 것과 같습니다. 우리기 지금 편안함을 수구한다면, 미래에는 그 대가를 치러야 합니다. "보통"의 삶을 선택함으로써 현재의 편안함을 누릴 수는 있지만, 이것이 과연 미래의 우리에게 가장 좋은 선택일까요?

"보통"에서 벗어나기

"보통"의 삶이라는 안전한 항해에서 벗어나, 더 큰 꿈을 향해 도전하는 것은 쉽지 않은 결정입니다. 하지만 우리가 진정으로 원하는 것을 이루기 위해서는 이러한 결정이 필요합니다. 마크 트웨인이 말했듯, "20년 후, 당신은 자신이 한 일보다 하지 않은 일 때문에 더 후회할 것이다." 우리가 정말로 후회하지 않는 삶을 살고 싶다면, 우리는 보통의 안정성을 넘어서 우리만의 길을 찾아 나서야 합니다.

결국, 보통의 삶을 선택하는 것은 현재의 편안함을 위한 선택일 수 있습니다. 하지만, 우리의 미래를 생각한다면, 이러한 선택이 우리를 진정으로 행복하게 만들지는 의문입니다. 우리가 진정으로 원하는 삶을 살기 위해서는, 현재의 편안함을 넘어서 용기 있는 결정을 내려야 합니다.

"보통"의 삶에서 벗어나려면, 우리는 우리 자신에게 투자해야 합니다. 자기 계발, 지식 습득, 창의력 계발 등을 통해 우리는 미래에 대한 더 큰 가능성을 열 수 있습니다. 이는 단지 경제적인 부를 넘어서, 우리의 삶을 더 풍요롭고 의미 있게 만들어줍니다.

또한, 우리가 "보통"의 삶을 넘어서려고 할 때, 우리는 자신만의 길을 개척하는 과정에서 만나는 다양한 사람들과 경험들로부터 많은 것을 배울 수 있습니다. 이러한 경험들은 우리의 인생을 더욱 풍부하게 만들어주며, 우리가 직면할 수 있는 어려움을 극복하는 데 필요한 도구와 지혜를 제공합니다.

"보통"의 삶을 선택함으로써 누릴 수 있는 현재의 편안함과 안정은 분명 매력적입니다. 하지만, 우리가 미래의 부와 행복을 진정으로 원한다면, 현재의 편안함을 넘어서 더 큰 도전을 선택하는 것이 필요합니다. 이러한 선택은 우리에게 불확실성과 어려움을 가져다줄 수 있지만, 동시에 우리의 삶을 더욱 풍요롭고 의미 있게 만들어줄 수 있는 놀라운 기회를 제공합니다.

결국, 우리의 미래는 우리의 선택에 달려 있습니다. "보통"의 삶을 넘어서 우리만의 길을 찾아 나서는 용기를 가지고, 우리 자신과 우리의 꿈에 투자하는 것이 우리가 원하는 미래를 만드는 첫걸음입니다. 우리의 삶은 우리가 만들어가는 것이며, 우리가 진정으로 원하는 것을 추구할 때, 우리는 미래의 가난을 플러스하는 대신, 미래의 부와 행복을 향해 한 걸음 더 나아갈 수 있습니다.

2.3. 당신의 꿈에 무엇을 설치할 것인가

꿈이라는 것은 마치 하늘에 반짝이는 별처럼 우리에게 먼 존재처럼 느껴질 수 있습니다. 우리가 매일 반복되는 일상에서 살아가고 있을 때도, 그 꿈에 조금씩 다가갈 방법이 있다는 걸 기억해야 합니다. 엄마든, 바쁜 직장인이든, 우리 모두에게는 자신의 꿈을 키우기 위한 시간을 찾을 수 있는 기회가 있습니다.

예를 들어, 엄마라면 아이들이 학교에 갔거나 잠든 밤의 조용한 시간을 활용해 그림을 그리거나 글을 쓸 수 있습니다. 이런 시간을 잘 활용하기 위해, 가족에게 아이들 돌보기를 조금 도와달라고 부탁해 볼 수도 있고, 친구들과의 모임에서 자신의 꿈에 관해 이야기하며 서로를 응원할 수 있습니다.

직장인 여성이라면, 점심시간에 관심 있는 강의를 듣거나, 퇴근 후 조금의 시간을 내어 자기 계발에 투자할 수 있습니다. 주말을 이용해 관련 분야의 세미나에 참여하거나 새로운 스킬을 배우는 것도 좋은 방법입니다.

하지만, 우리 모두 알다시피, 혼자서 꿈을 실현하기는 쉽지 않습니다. 그래서 가족, 친구, 동료들과 함께하는 것이 그 어떤 것보다 중요합니다. 이 사람들은 꿈을 향한 여정에서 큰 힘이 되어줄 수 있습니다. 가족에게 꿈을 위한 시간을 만들어달라고 부탁하고, 친구들과 꿈을 공유하며 서로 응원하는 것이 중요합니다. 직장에서도 동료들과 함께 자기 계발의 중요성을 공유하며 서로를 격려할 수 있습니다.

꿈을 향해 나아가는 것은 하루아침에 이루어지는 일이 아닙니다. 매일 조금씩, 꾸준히 자신의 꿈을 위해 노력하는 것이 정말 중요합니다. 이 과정에서 포기하지 않는 용기와 끈기가 필요하고, 그것이 우리를 꿈에 더 가까이 다가가게 해줄 것입니다. 꿈을 향한 길이 험난하고 도전적일 수 있지만, 그 길을 함께 걸어갈 사람들이 있다면, 결국 우리는 우리가 꿈꾸는 삶을 살게 될 것입니다.

그러니 오늘부터라도 당신의 꿈에 작은 한 걸음을 내디뎌 보세요. 그 작은 한 걸음이 모여 결국 큰 변화를 만들어내고, 우리 모두의 꿈이 실현되는 그날까지 우리는 멈추지 않을 것입니다. 우리 모두의 꿈이 실현되는 그날까지, 포기하지 말고 계속해서 나아가 봅시다. 우리가 진정으로 원하는 삶을 향해, 용기를 가지고 한 걸음씩 나아가는 것이야말로 우리가 할 수 있는 가장 멋진 도전이 될 것입니다.

꿈을 향한 여정은 단지 미래에 대한 거창한 계획만이 아닙니다. 매일의 작은 습관에서부터 시작됩니다. 조금 일찍 일어나는 것, 하루에 한 페이지라도 책을 읽는 것, 새로운 것을 배우기 위해 짧은 온라인 강의에 참여하는 것. 이 모든 작은 습관들이 모여, 우리의 꿈에 대한 경로를 하나씩 조명해 줍니다.

때로는 우리의 꿈이 너무 멀고 닿을 수 없는 것처럼 느껴질 때도 있겠지만, 그럴 때일수록 우리 주변의 사람들과 소통하고 그들의 지지를 받으며 자신을 다시 한번 믿어보세요. 그들의 격려와 사랑은 우리가 겪는 모든 힘든 순간들을 이겨낼 수 있는 큰 힘이 됩니다.

"꿈을 향해 한 발짝 나아가는 것은, 이미 성공한 것과 마찬가지다."라는 말이 있습니다. 꿈을 향해 첫발을 내딛는 순간, 우리는 이미 많은 것을 이룬 것과 같습니다. 그 첫 발짝이 우리를 꿈꾸던 미래로 한 걸음 더 가까이 데려다 줄 것입니다.

그러니 꿈을 향한 여정을 두려워하지 마세요. 자신의 속도로, 자신만의 방식으로 꿈을 향해 나아가세요. 중요한 것은 목적지에 얼마나 빨리 도달하느냐가 아니라, 그 여정을 얼마나 의미 있게 만드느냐입니다. 우리가 모두 자신의 꿈을 향해 조금씩 나아가고 있다는 사실을 기억하며, 서로를 응원하고 지지해 줍시다.

꿈이라는 별이 아무리 멀게 느껴져도, 우리의 적은 노력과 용기가 결국 그 별에 닿게 해줄 것입니다. 그 긴 여정 속에서 우리가 배우고, 성장하고, 꿈을 현실로 만들어가는 모든 순간이 우리 삶의 가장 빛나는 페이지가 될 것입니다. 지금, 이 순간부터 당신의 꿈에 한 발짝 더 다가서 보세요. 우리가 모두 그 꿈을 실현하는 날까지 함께 걸어가요.

이처럼 바쁜 가정과 직장 생활에서 누군가는 가정일을 하며, 누군가는 직장 일을 하며 꿈을 찾기 위한 배움을 택하고, 누군가는 아무것도 하지 않습니다. 이들의 차이점은 무엇일까요? 나의 꿈에 무엇을 설치할 것인가는 타인이 해주지 않습니다. 내 꿈을 위해 의지를 설치할 준비 되셨나요?

3. 미리 그려보는 밑그림을 통한 꿈의 발자취

3.1. 밑그림이 현실로 바뀌는 이유

꿈을 향해 나아가는 과정은 마치 작가가 되기 위해 첫 소설을 쓰기 시작하는 것과 같습니다. 처음에는 빈 페이지만 바라보며 무엇을 써야 할지 막막할 수 있지만, 단어 하나하나를 적어나가다 보면 어느새 이야기가 형성되기 시작합니다. 우리 각자의 꿈도 이와 같아서, 매일의 적은 노력이 모여 결국 큰 이야기를 만들어내는 것입니다.

이야기를 통해 더 잘 이해해 볼까요? 한 소녀가 있습니다. 소녀는 어렸을 때부터 이야기를 짓고 글을 쓰는 것을 좋아했습니다. 하지만 시간이 지나면서, 학교 공부와 다른 책임 때문에 글쓰기의 시간을 할애할 여유가 점점 줄어들었습니다. 그런데도, 소녀의 마음 한구석에는 여전히 글쓰기에 대한 열정이 자리 잡고 있었습니다.

어느 날, 소녀는 자신의 글쓰기 꿈을 다시 한번 꺼내기로 결심했습니다. 그녀는 자신만의 작은 노트를 사서, 쓰고 싶은 이야기의 아이디어와 글쓰기 계획을 적기 시작했습니다. 처음에는 어떻게 이야기를 전개해야 할지 막막했지만, 매일 조금씩 생각을 정리하고 글을 써 내려가기 시작했고, 그 과정이 점점 즐거워졌습니다.

소녀는 자신에게 작은 목표를 세웠습니다. 매달 하나씩 짧은 이야기를 완성하는 것입니다. 처음엔 글이 서툴렀지만, 소녀는 포기하지 않았습니다. 그녀는 글쓰기 책을 읽고, 온라인 글쓰기 커뮤니티에 참여하며 계속해서 배우고 노력했습니다. 그리고 그녀는 자신이 쓴 이야기를 블로그에 공유하기 시작했습니다.

블로그를 통해 그녀의 글은 많은 사람들에게 읽히기 시작했고, 독자들로부터 긍정적인 피드백을 받았습니다. 이러한 격려와 조언이 그녀에게 더 큰 동기를 부여했습니다. 시간이 흐르며 그녀는 자신만의 글쓰기 스타일을 찾았고, 결국 몇 권의 전자책을 작성하게 되었습니다. 이 경험은 그녀가 글쓰기에 대한 자신의 열정을 계속 추구할 수 있도록 확신을 해주었습니다.

위의 이야기처럼, 꿈을 향한 여정은 시작하는 것에서부터 시작됩니다. 꿈을 실현하기 위해서는 자신의 꿈을 종이에 적고, 그 꿈을 향해 매일 적은 노력을 기울여야 합니다. 주변 사람들의 응원과 지지는 꿈을 향한 여정에서 큰 힘이 됩니다. 글쓰기를 꿈꾸는 그녀처럼 아니 저처럼, 당신도 자신의 꿈을 이루기 위해 첫걸음을 내디뎌 보세요. 꿈을 이루기 위한 매일의 노력이 모여, 결국 당신이 원하는 큰 목표를 달성하게 될 것입니다. 중요한 것은,

꿈을 향해 나아가는 과정에서 자신을 믿고, 작은 성공을 축하하며, 실패에서 배우는 것입니다.

또한, 주변에서 받는 조언과 격려를 소중히 여기며, 꿈을 향한 여정을 즐기세요. 글쓰기와 같은 창조적인 활동은 때로 외롭고 힘든 일이 될 수 있습니다. 하지만 그 과정에서 만나는 사람들, 배우게 되는 새로운 지식과 경험은 당신의 글쓰기를 더욱 풍부하고 다채롭게 만들어 줄 것입니다.

저처럼, 당신이 쓴 이야기나 작품을 세상에 공유하는 용기를 가지세요. 처음에는 부족하다고 느낄 수 있지만, 세상에는 당신의 이야기를 기다리는 사람들이 있습니다. 그들과 당신의 이야기를 공유함으로써, 당신은 더 많은 영감을 받게 되고, 더 나은 작가로 성장할 수 있습니다.

마지막으로, 글쓰기뿐만 아니라 모든 꿈을 향한 여정에서 가장 중요한 것은 포기하지 않고 계속해서 도전하는 것입니다. 글쓰기를 통해 당신만의 세계를 만들어가는 것처럼, 당신의 꿈도 당신만의 방식으로 펼쳐 나가세요. 꿈을 이루는 것은 결코 쉬운 일이 아니지만, 당신이 꿈꾸는 그날까지 꾸준히 노력한다면, 언젠가는 당신의 꿈이 현실이 될 것입니다.

제가 겪은 모든 과정과 성장, 그리고 성공의 순간들은 모두 꿈을 향해 한 걸음 한 걸음 내디딘 결과입니다. 그러니 오늘부터라도 당신의 꿈을 위한 작은 행동을 시작해 보세요. 당신의 꿈이 현실이 되는 그날까지, 당신의 여정을 응원합니다.

3.2. 미리 그려보는 미래를 통한 발자취

미래 사회에서는 지금처럼 많은 시간을 일하는 데 쓰지 않아도 될 거라고 합니다. 이 말은 곧 평생직장이라는 개념이 사라지고 직업과 직장이 자주 바뀔 수 있다는 뜻이기도 합니다. 따라서 우리는 평생 지속될 수 있는 전문성을 갖추는 데 노력해야 합니다. 하지만 대부분 사람은 현재 하는 일에만 집중하고 있습니다. 그렇게 되면 자기 계발 기회를 놓치게 되고 결국 도태되게 됩니다.

전문성을 갖추기 위해서는 어떤 노력을 해야 할까요? 우선 스스로 끊임없이 질문을 던져야 합니다. 계속해서 스스로 질문하라는 말은 계속 나오고 있는데요. 이 말은 자신의 진짜 마음을 들여다보고 그 마음을 읽어줘야 한다는 뜻입니다.

나는 왜 이 일을 하는가?
내가 하는 일은 세상에 어떤 의미가 있는가?
이러한 질문은 내가 하는 일에 대해 근본적인 것을 던져보는 것입니다. 그리고 이러한 질문들을 계속해서 하다 보면 나만의 답을 찾을 수 있게 됩니다. 즉, 다른 사람들이 바라볼 수 없는 부분을 볼 수 있게 되고 남들이 하지 않는 방식으로 문제를 해결하며 새로운 가치를 창출하게 되는 것입니다.

만약 지금 당장 준비하기 어려운 상황이라면 어떻게 해야 할까요? 당장 무언가를 하려고 하면 막막함이 밀려옵니다. 그럴 때는 일단 책을 읽거나 강의를 듣는 방법이 있습니다. 저는 주로 독서와 강의를 많이 듣습니다. 특히 인문학 서적을 즐겨 읽고 있습니다. 다양한 분야의 책을 읽다 보면 시야가 넓어지고 사고방식 또한 유연해집니다. 그리고 빠르게 변화하는 세상 속에서 어떤 강의를 들어야 하는지 판단할 수 있게 됩니다. 그뿐만 아니라 앞으로 다가올 시대에 대비할 수 있는 통찰력까지도 얻을 수 있게 됩니다.

그럼, 앞으로 유망한 직종은 무엇일까요?
현재도 주목받고 있는 AI 기술 역시 인간의 창의성과 상상력 없이는 불가능합니다. 그러므로 AI 시대에서도 살아남을 수 있는 유일한 길은 창조적이고 혁신적인 인재가 되는 것입니다. 이는 자라나는 아이들에게만 해당이 될까요?
아닙니다. 지금 직장인이나 사업가에게도 필요합니다.
혹시 현재 하는 일을 계속할 것으로 생각되시나요? 착각하시면 안 됩니다. 위에서도 얘기했듯이 평생직장이라는 말이 사라지고 있습니다.
이를 위해 꾸준히 공부하고 경험하면서 내공을 쌓아야 합니다. 그래야 급변하는 산업혁명 시대 속에서도 살아남아 인류 문명 발전에 이바지할 수 있습니다.

혹시 난 인류 문명에 이바지할 일이 없으므로 그냥 이대로가 좋다고 생각하신다면 다시 생각의 전환이 필요할 때입니다. 수명이 길어진 만큼 사는 대로 살아지는 게 아니라 미래를 향해 나아가며 미래를 직접 그려보셔야 합니다.

지금의 나는 과거의 결정이 쌓이고 쌓여 현재의 나라는 결과가 생긴 것입니다.
미래의 나 또한 현재의 결정이 쌓이고 쌓여 생긴 결과가 될 것입니다.
미래의 나에게서는 벗어날 수는 없습니다.
미래의 내가 싫다고 그 일을 벗어날 수 있는 사람도 없습니다.
우리가 선택할 수 있는 것은 미래의 나에게 언제 얼마큼을 해줄 수 있느냐입니다.

작가 짐 론은 이렇게 말했습니다
훈련의 무게는 얼마 안 되지만, 후회의 무게는 수 톤에 이른다라고 말입니다.
미래의 나에게 훈련의 비용을 지불할 것인지, 미래의 나에게 후회의 비용을 지불할 것인지 그 선택은 나로부터 비롯됩니다. 미래의 나에게 훈련의 비용을 조금이라도 지불한다면 엄청난 변화가 올 것입니다. 반대로 미래의 나에게 계속 무언가를 빌려오면 미래의 어느 시점에는 빌려온 것에 대해 갚아야 할 시점이 찾아옵니다. 미래의 나에게서 배움, 시간, 돈을 계속 빌려 쓰다 보면 미래의 나는 빚의 수렁으로 빠지게 될 것입니다. 우리가 어떤 행동을 하든 그것은 미래의 우리가 갚아야 할 비용이던지, 미래의 우리에 대한 투자가 됩니다.

지금 미래의 나에게 어떤 비용을 지불할 것입니까?
우리 모두 꾸준한 자기 계발을 통해 개인의 경쟁력을 키우고 나아가 인류 문명 발전에 이바지하는 존재가 될 수 있습니다.

미리 그려보는 미래를 통해 현재 나의 발자취는 어디로 향해 갈지 알 수 있습니다. 미래의 자신을 아는 것은 현재 나의 발자취를 결정합니다.

3.3. 보통을 생각하면 보통의 삶이 그려진다

우리 삶에서 "보통"이라는 단어는 참 자주 사용됩니다. 우리는 자주 "나는 그저 보통 사람이야." 또는 "오늘 하루는 그냥 보통이었어." 같이 말합니다. 가끔은 우리가 모두 이 '보통'에서 벗어나 더욱 특별한 경험을 하고 싶어 하지만, 우리의 일상 대부분은 '보통'의 연속입니다.

제 친구 이야기를 예로 들어보겠습니다. 한 친구는 아이들 학원비로 인해 가계가 조금 빠듯해져서 새로운 일을 찾아야 했습니다. 그 친구는 간단하게 돈을 벌 수 있는 일을 찾을 수도 있었습니다. 하지만 그 대신, 그녀는 자신이 정말로 좋아하는 일을 찾기로 결심했습니다. 그녀는 옛날부터 아이들을 좋아했기에 가르치는 일을 하고 싶다고 하였습니다. 처음엔 어려웠지만, 그녀는 포기하지 않고 유아교육 관련 공부를 했습니다. 결국, 그녀는 유아 교사로서 일할 수 있는 기회를 얻었습니다.

또 다른 친구는 반복되는 일상에서 지쳐 새로운 일을 찾아 나섰습니다. "계속 이 일만 해야 하나?" 하고 고민했습니다. 그래서 그는 자신이 관심 있던 새로운 분야를 배우기 시작했고, 결국 그 노력 덕분에 새로운 기회를 얻게 되었습니다. 두려워서 시작하지 못했던 새로운 곳에서 그녀는 그 전보다 더 탁월하게 잘하는 사람이 되었고 제2의 인생을 살아가고 있습니다.

이렇게 '보통'이라는 생각에서 벗어나 자신의 열정을 따라 도전을 시작하면, 우리의 삶은 더욱 풍부해질 수 있습니다. 중요한 건 '나는 보통 사람이야'라고 생각하며 살지 않는 것입니다. 대신, '내가 정말 원하는 건 무엇인가?' 자신에게 묻고 그 답을 찾아가는 것입니다.

이와 관련하여 마야 앤젤로우가 한 말이 떠오릅니다. "사림들은 당신이 한 말을 잊을지 모르지만, 당신이 그들에게 어떤 느낌을 주었는지는 절대 잊지 않습니다." 우리의 삶도 마찬가지입니다. 우리가 살아가는 방식, 우리의 열정과 도전이 다른 사람들에게 긍정적인 영향을 줄 수 있습니다. 그러니 지금 여러분의 삶이 조금 '보통' 하다고 느껴진다면, 새로운 도전을 시작해 보시면 어떨까요? 여러분의 삶이 더욱 특별하고 의미 있게 변할 수 있습니다. 오늘부터 여러분의 꿈을 향해 작은 발걸음이라도 내디뎌보세요!

"새로운 목표를 설정하거나 새로운 꿈을 꾸기에 너무 늦은 나이란 없다."

- C.S. 루이스

4. 꿈을 강하게 끌어당겨라

4.1. 언제 이루어지는가

꿈을 향해 나아가는 여정은 정말로 마라톤과 같습니다. 시작점에서 결승점까지 이르기까지, 우리는 많은 도전과 역경을 마주하게 됩니다. 그런데도, 우리의 열정, 노력, 그리고 꿈에 대한 믿음이 우리를 계속 앞으로 나아가게 합니다. 특히, 바쁜 일상에서 여러 책임을 지고 있는 우리 모두에게 꿈을 향한 여정은 더욱 도전적일 수 있습니다.

그러나 기억하세요, 꿈은 우리가 삶에서 추구하는 귀중한 목표 중 하나입니다. 꿈이 있다는 것 자체가 우리의 삶에 큰 의미를 부여하며, 이는 단순한 상상이 아니라 실제로 행동으로 옮겨야 하는 것입니다. 꿈을 이루기 위한 첫걸음은 목표를 설정하고, 그 목표를 달성하기 위한 구체적인 계획을 세우는 것입니다.

이 과정에서 중요한 것은 자신에 대한 믿음입니다. "노력하지 않고 꿈꾸는 것은 욕심일 뿐"이라는 말이 있듯이, 꿈에 대한 노력 없이 꿈을 이루기를 바라는 것은 비현실적입니다. 꿈을 현실로 만들기 위해서는 목표를 설정하고, 그 목표를 향해 꾸준히 노력해야 합니다. 이때, 자기 신념을 지키고, 지속적인 성장과 배움을 추구하는 것이 중요합니다.

예를 들어, 당신이 작가가 되고 싶다면, 매일 글쓰기의 습관을 들여야 합니다. 작은 일기에서부터 시작해 소설이나 에세이와 같은 큰 작품으로 나아갈 수 있습니다. 이 과정에서 중요한 것은 꾸준함입니다. 또한, 글쓰기 관련 워크숍이나 강의에 참여하여 지식을 넓히고, 다른 작가들과 소통하면서 영감을 얻는 것도 좋은 방법입니다.

목표를 달성하기 위한 기한을 설정하는 것도 중요합니다. 예를 들어, "1년 안에 에세이 초안을 완성하기"와 같은 목표를 세울 수 있습니다. 이렇게 기한을 정하면, 우리는 목표를 향해 더 집중하고 노력하게 됩니다. 또한, 목표를 달성하기 위한 작은 단계들을 설정하면, 큰 목표에 도달하는 과정이 더욱 명확해집니다.

꿈을 이루는 과정은 쉽지 않지만, 그 과정에서 우리는 많은 것을 배우고 성장합니다. 우리의 노력과 인내심은 결국 꿈을 현실로 만드는 데 결정적인 역할을 합니다. 그리고 우리가 꿈을 이루는 순간은 우리 삶에서 값진 순간 중 하나가 될 것입니다.

그러니 오늘부터, 당신의 꿈을 위한 첫걸음을 내디뎌 보세요. 아무리 작은 발걸음이라도 괜찮습니다. 중요한 것은 시작하는 것이

니까요. 그 작은 시작이 결국 당신의 꿈을 현실로 만드는 큰 여정의 시작점이 될 것입니다. 당신이 꿈꾸는 것이 무엇이든, 그 꿈에 대한 믿음과 열정을 가지고 꾸준히 노력한다면, 반드시 이룰 수 있습니다.

우리는 꿈을 향한 여정에서 때때로 실패하거나 좌절을 경험할 수도 있습니다. 하지만 이러한 경험들은 우리가 꿈을 이루기 위한 과정에서 배우고 성장할 수 있는 귀중한 기회입니다. 실패와 좌절을 두려워하지 말고, 그것을 극복하는 과정에서 더 강해지고, 더 나은 자신으로 발전할 수 있다는 것을 기억하세요.

마지막으로, 꿈을 이루는 여정을 즐기세요. 꿈을 향해 나아가는 과정에서 겪는 모든 경험은 우리 삶의 소중한 부분입니다. 꿈을 향한 여정 속에서 새로운 사람들을 만나고, 새로운 것을 배우며, 자신도 몰랐던 자신의 가능성을 발견하게 될 것입니다. 이 모든 것이 결국 당신을 더 풍부한 인격의 소유자로 만들어 줄 것입니다.

"꿈은 목표가 아니라 여정입니다." 이 말을 기억하면서, 당신의 꿈을 향한 여정을 하루하루 소중히 여기며 살아가세요. 당신이 꿈꾸는 그 무엇도, 당신의 노력과 인내, 그리고 열정이 있다면 분명 현실이 될 것입니다. 그러니 용기를 내서 꿈을 향해 한 발짝 더 나아가 보세요.

4.2. 끌어당김의 긍정 확언

시크릿 책에서는 우리가 원하는 것을 이미 이룬 것처럼 상상하면 이루어진다고 말합니다. 그래서 저는 매일 아침 제가 이루고 싶은 꿈과 목표들을 적어놓고 눈뜨자마자 읽고 하루를 시작합니다.

당신이 진정으로 원하는 것을 결정한 순간 온 세상이 당신의 지원자가 됩니다.
이 말은 우리가 진정으로 원하는 것을 결정하고 그에 집중한다면 우주는 우리를 지원하고 지원자가 되어 우리의 목표를 이루는 데 도움이 될 것이라는 의미를 담고 있습니다. 이는 우리의 마인드 셋과 목표에 대한 집중력의 중요성을 강조합니다. 그리고 우리 자신의 힘과 우주의 도움을 믿을 수 있도록 격려하기도 합니다. 이를 바탕으로 아침마다 저의 긍정할 언문을 외치고 아침을 시작하는데요.

여기 말하는 긍정 확언은 무엇을 말하는 것일까요?
긍정 확언은 말 그대로 내가 원하는 바를 확언하는 문장입니다. 이 글을 읽고 계신 여러분들도 바라는 것은 모두 다를 것입니다. 그럼 우리는 왜 이렇게 다양한 꿈과 목표를 가지고 있을까요? 그것은 결국 지금 상황보다는 미래의 나에게 초점을 맞추고 있기 때문입니다. 미래에 잘 되고 싶은 사람은 저뿐만이 아닐 것입니다. 미래를 더 밝게 하려고 매일 저만의 루틴이 긍정 확언입니다. 하지만 대부분 사람은 하루하루 열심히 살지만 정작 자신이 진정으로 원하는 삶과는 동떨어진 방향으로 살아가고 있습니다.

그렇다면 어떻게 해야 할까요?

매일 조금씩이라도 스스로 정한 목표를 향해 나아간다면 언젠가는 반드시 도달할 수 있을 것입니다. 긍정 확언은 목표를 향해 나가는 큰 도구가 될 것입니다.

그럼, 왜 긍정 확언일까요?

사람마다 각자 다른 인생관을 가지고 살아가듯이 같은 단어라도 받아들이는 느낌은 천차만별입니다.

예를 들어 사랑한다는 말을 들었을 때 어떤 사람은 기분 좋은 감정을 떠올릴 것입니다. 또 어떤 사람은 불행한 감정을 떠올릴 수도 있습니다. 그러므로 부정적인 사고방식보다는 긍정적인 사고방식을 가지는 것이 훨씬 도움이 됩니다. 그리고 긍정적인 사고방식을 가지기 위해서는 자기암시를 해야 합니다. 이는 반복해서 말하는 습관이 매우 중요합니다. 이것을 통해 잠재의식 속 뇌에 각인되고 무의식중에 행동하게 되기 때문입니다.

그럼, 긍정 확언은 어떻게 읽어야 할까요?

저는 아침에 일어나서 읽습니다. 일어나자마자 물 한 잔과 명상 후에 침대 옆 테이블에 앉아서 소리내어 천천히 읽습니다. 물론 한 번에 다 읽을 때도 있고 여러 번 나눠서 읽을 때도 있지만 어쨌든 꾸준히 반복해서 읽다 보면 어느새 제 입에서도 자연스럽게 술술 나오게 됩니다. 이렇게 하면 머릿속으로만 되뇌는 것보다 훨씬 오래 기억되고 머릿속에 각인됩니다.

긍정 확언을 읽으면 어떤 변화가 일어날까요?

사실 부정 확언이든 긍정 확언이든 크게 상관없이 모든 확언은 잠재의식에 영향을 주기 때문에 결과적으로는 비슷한 효과를 얻을 수 있습니다. 하지만 굳이 차이점을 꼽자면 아무래도 긍정 확언이 좀 더 기분 좋은 에너지를 전달하기 때문에 실제로 행동하게 만드는 원동력이 됩니다. 혹시 지금 당장 무언가를 해야 한다는 압박감에 시달리고 계신다면 잠시 내려놓고 편안하게 누워서 자기 전에 혹은 아침에 잠깐이라도 좋으니까 스스로 말해보는 연습을 해보세요.

나는 나를 사랑한다.
나는 진짜 재능이 있다.
나의 삶은 모든 면에서 매일 더 나아진다.

아무거나 괜찮습니다. 그렇다고 부정적인 글을 확언하시면 안 됩니다. 그렇게 계속 말하다 보면 신기하게도 진짜 그런 사람이 된 것처럼 느껴지고 심지어 몸 상태도 좋아지는 걸 느낄 수 있습니다.

인생은 속도가 아니라 방향입니다. 당장 눈앞에 보이는 성과에만 연연하지 마시고 멀리 내다보면서 나아가도록 해보면 어떨까요. 그러면 언젠가 나를 알리는 빛이 반짝반짝 빛날 것입니다.

1. 나는 나를 사랑한다

2. 나는 진짜 재능이 있다

3. 나의 삶은 모든 면에서 매일 더 나아진다

4.3. 매일 마음 가득 꿈을 꾸어라

우리 삶에서 꿈을 꾸는 것은 마치 오아시스에서 물을 찾는 여정과 같습니다. 바쁜 일상에서, 우리는 종종 우리의 꿈과 열정을 잊고 살아가곤 합니다. 하지만 꿈을 꾸는 것은 우리에게 삶의 의미와 방향을 제시해 줍니다. 꿈은 우리의 삶에 열정과 목표를 부여하며, 더 큰 성공과 행복으로 이끌어줍니다.

예를 들어, 이순신 장군은 "위기는 곧 기회다"라고 말했습니다. 이 말은 우리에게 꿈을 꾸고 그 꿈을 향해 나아가는 과정에서 마주치는 어려움과 도전이 실제로는 우리의 성장과 성공을 위한 기회가 될 수 있다는 것을 상기시켜 줍니다.

한 엄마의 이야기를 들려드리겠습니다. 그녀는 항상 가족을 돌보는 데 전념하며 자신의 꿈을 뒤로 한 채 살아왔습니다. 하지만 어느 날, 그녀는 자신도 꿈을 가질 자격이 있다는 것을 깨달았습니다. 그녀의 오랜 꿈은 작가가 되는 것이었습니다. 그래서 그녀는 매일 자기 전에 최소 한 시간씩 글을 쓰기로 결심했습니다. 처음에는 그녀의 글이 주목받지 못했지만, 그녀는 포기하지 않고 계속해서 글을 썼습니다. 시간이 지나면서, 그녀의 글은 점점 더 많은 사람에게 읽히기 시작했고, 결국 그녀는 여러 출판사로부터 연락을 받게 되었습니다.

이 엄마처럼, 우리는 모두 바쁜 일상에서도 꿈을 꾸는 시간과 공간을 마련할 수 있습니다. 이것은 우리의 삶에 새로운 기회와 가능성을 열어주는 열쇠가 됩니다. 꿈을 꾸는 것은 우리에게 끊임없는 동기를 부여하며, 우리의 삶에 의미와 즐거움을 더해줍니다.

그러니 매일 꿈을 꾸는 습관을 들이세요. 꿈을 꾸는 시간을 자신만의 특별한 시간으로 만들어 보세요. 그 시간 동안 꿈을 시각화하고, 긍정적인 자기 대하를 해보세요. 이러한 습관은 꿈을 현실로 만들어 나가는 데 큰 도움이 될 것입니다.

꿈을 꾸는 것은 우리의 삶을 더욱 풍요롭고 의미 있게 만듭니다. "꿈은 현실이 될 수 있습니다. 당신이 그것을 꿈꿀 수 있다면, 당신은 그것을 이룰 수 있습니다."라는 월트 디즈니의 말처럼, 꿈을 꾸고 그 꿈을 이루기 위해 노력하면, 언젠가는 당신의 꿈이 현실이 될 것입니다. 그러니 지금, 이 순간부터, 당신의 꿈을 향해 작은 발걸음이라도 내디뎌 보세요. 매일 꿈을 꾸는 습관을 통해, 당신은 당신의 미래를 조금씩 그려 나갈 수 있습니다. 꿈을 꾸는 시간은 당신에게 동기를 부여하고, 긍정적인 에너지를 주며, 당신이 어려움과 도전을 극복하도록 도와줄 것입니다.

꿈을 이루는 과정은 때로는 힘들고 도전적일 수 있지만, 그 과정에서 우리는 더 강해지고, 자신만의 길을 찾아 나가게 됩니다. 꿈을 향해 나아가는 여정은 우리 삶을 더욱 풍부하고 다채롭게 만들어 줍니다. 그리고 언젠가, 당신은 자신이 꾸었던 꿈이 실현되는 것을 보게 될 것입니다.

꿈을 꾸고, 그 꿈을 위해 노력하는 것은 우리 삶에 있어 가장 아름다운 투자입니다. 그러니 두려워하지 말고, 꿈을 향해 용감히 나아가세요. 당신의 꿈이 당신의 삶을 인도하게 하세요. 매일 조금씩 꿈에 가까워지는 당신 자신을 발견하게 될 것입니다.

꿈을 향한 여정은 단순히 목표를 달성하는 것 이상의 가치를 가집니다. 그것은 우리가 누구인지, 우리가 무엇을 진정으로 원하는지 발견하는 여정입니다. 그리고 그 여정에서 우리는 우리 자신과 우리의 삶에 대해 더 깊이 이해하게 됩니다.

그러니 오늘부터라도 당신의 꿈에 한 걸음 더 다가서세요. 당신의 꿈을 마음 가득 꾸며 보세요. 그 꿈이 언젠가는 당신의 현실이 될 것이라는 믿음을 가지고, 매일 그 꿈을 향해 나아가 보세요. 당신의 꿈이 당신을 멋진 미래로 이끌어 줄 것입니다.

5. 미래의 나를 통해 오늘을 살아간다

5.1. 그냥 시작해라

"그냥 시작해라"라는 말은 단순해 보이지만, 우리가 꿈을 이루는 데 있어서 강력한 힘을 가지고 있습니다. 우리 각자는 다양한 꿈을 가지고 있지만, 그 꿈을 향해 첫걸음을 내딛는 것이 가장 어려운 일일 때가 많습니다. "지금 당장 시작한다"라는 결심만으로도 우리는 꿈을 이루는 여정의 첫발을 떼게 됩니다.

예를 들어, "수영"이라는 구체적인 꿈을 가진 소년의 이야기를 해보겠습니다. 소년은 어렸을 때부터 수영 선수가 되고 싶었습니다. 하지만 바쁜 일상과 여러 가지 핑계로 수영장에 가는 것을 미루곤 했습니다. "내일 가야지, 다음 주에 시작해야지"라고 계속해서 말하며 시간만 보냈어요. 하지만 어느 날, 소년은 "그냥 시작해야겠다"라고 마음먹었습니다. 구체적인 목표 없이, 그저 수영장에 가서 수영을 시작했어요. 처음엔 힘들고 어려웠지만, 소년은 매일 조금씩 수영을 연습했습니다. 그리고 몇 달이 지나, 소년은 자신의 실력이 크게 향상된 것을 느꼈고, 수영에 대한 열정도 더 커졌습니다. 결국 자신의 꿈을 향해 나아가고 있었던 것입니다.

소년의 이야기에서 볼 수 있듯, 때로는 "그냥 시작해라"라는 결심이 우리를 움직이게 하는 가장 큰 힘이 됩니다. 우리가 꿈을 이루기 위해 해야 할 일들을 명확히 알고 있더라도, 실제로 행동으로 옮기지 않으면 아무것도 바뀌지 않습니다. 그러니 꿈을 가지고 있다면, 구체적인 목표가 무엇인지, 어떤 방법으로 그 꿈에 도달할 것인지 고민하기 전에, 일단 시작하는 것이 중요합니다. 시작이 반입니다.

"인생은 자전거를 타는 것과 같아서, 균형을 잡으려면 움직여야 한다"라는 알베르트 아인슈타인의 말처럼, 우리의 꿈을 향해 나아가기 위해서는 그저 움직이기 시작하는 것이 중요합니다. 지금 당장 완벽하지 않아도 괜찮습니다. 완벽한 계획이나 준비가 모두 갖추어져 있지 않아도 괜찮습니다. 중요한 것은 당신이 꿈을 향해 첫걸음을 내딛는 것입니다.

그러니 오늘부터라도 당신의 꿈을 향해 그냥 시작해 보세요. 작은 습관을 만들어 매일 조금씩 그 꿈을 향해 나아가보세요. 그리고 나중에 돌아보았을 때, 당신은 자신이 얼마나 멀리 왔는지 놀랄 것입니다. 당신의 꿈이 당신을 멋진 미래로 이끌 것입니다. 그 시작이 오늘일 수 있습니다.

5.2. 미래의 나는 현재의 자신이다

"미래의 나는 현재의 나에 의해 만들어진다." - 이 간단한 진실 속에는 우리가 매일 어떤 선택을 하고 어떤 행동을 취하는지가 얼마나 중요한지가 담겨 있습니다. 우리의 미래는 화려한 꿈이나 대담한 계획만으로 이루어지는 것이 아닙니다. 바로 지금, 이 순간 우리가 취하는 작은 결정들과 습관들이 모여 결국 우리가 되고자 하는 사람을 형성합니다.

일상에서 우리는 무수히 많은 결정을 내립니다. 아침에 조금 일찍 일어나서 명상하거나, 점심시간에 짧은 산책을 하거나, 저녁에는 소중한 사람과 질 좋은 시간을 보내거나. 이런 작은 행동들은 당장에 큰 변화를 불러오지 않을 수 있습니다. 하지만 시간이 흐르면서, 이 작은 습관들이 쌓이고 모여 우리의 삶을 근본적으로 변화시킬 수 있습니다.

예를 들어, 하루에 한 페이지라도 좋으니, 책을 읽기로 한 사람을 생각해 보세요. 처음에는 큰 변화가 느껴지지 않을 것입니다. 하지만 일 년이 지나면 365페이지, 그것이 3년이면 1,095페이지를 읽게 됩니다. 그 다양한 지식과 경험이 그 사람의 삶에 얼마나 큰 영향을 미칠지 상상해 보세요.

미래의 나를 만드는 것은 바로 지금, 현재 우리의 행동입니다. 우리가 지금 어떤 습관을 지니고, 어떤 결정을 내리는지가 우리의 미래를 결정짓습니다. 그래서 오늘부터 작은 변화를 시작해 보세요. 내가 되고 싶은 사람이 되기 위해, 지금 당장 할 수 있는 작은 일이 무엇인지 생각해 보세요. 그리고 그 작은 일을 시작해 보세요.

중요한 것은 매일 긍정적인 자세로 삶을 대하는 것입니다. 매일 긍정적인 확언을 하면서 자신을 격려해 보세요. "나는 매일 나아지고 있어" 또는 "나는 내 꿈을 향해 나아가고 있어" 같은 말들입니다. 이런 작은 긍정적인 말들이 우리의 마음을 강하게 만들어 주고, 미래의 우리가 되고 싶은 모습을 향해 나아가도록 도와줍니다.

우리가 모두 매일 조금씩이라도 자신의 꿈을 향해 나아갈 때, 미래의 우리는 지금 우리가 상상하는 것 이상의 멋진 사람이 될 것입니다. 그러니 오늘부터라도 작은 행동이라도 좋으니, 당신의 꿈을 향해 나아가 보세요. 현재의 적은 노력이 모여 미래의 큰 성공을 만들어낼 거예요. 우리의 삶은 우리가 만들어가는 것이니까요.

"당신의 삶은 당신의 생각들이 만드는 것이다." - 마르쿠스 아우렐리우스의 이 말처럼, 우리의 생각과 행동이 우리의 미래를 만들어갑니다. 그러니 긍정적인 생각을 하고, 작은 변화부터 시작해 보세요. 이 작은 시작이 모여, 미래의 당신을 만들어갈 것입니다. 그리고 그 미래의 당신은 분명 지금 당신이 상상하는 것 이상으로 멋진 사람일 것입니다. 시작하는 것이 중요합니다. 그 시작이 바로 오늘일 수 있습니다.

5.3. 내가 평생 꿈꾸는 나의 긍정 확언

"내가 꿈꾸는 것을 나는 될 수 있다." 이 간결하면서도 강력한 긍정의 확언은 바버라 쉐어의 "당신의 꿈을 이루세요"에서 영감을 받았습니다. 그녀는 우리에게 꿈을 이루기 위한 첫걸음으로 긍정적인 생각을 강조합니다. 매일 아침 '나는 강하고 끈기 있는 사람이다'라고 자신에게 말함으로써, 우리는 그날을 더욱 밝고 희망적으로 시작할 수 있습니다. 이 작은 습관이 어떻게 삶을 변화시킬 수 있는지 상상이 되나요?

우리 중 많은 이들이 엄마로, 아빠로, 직장인으로 매일 많은 역할을 해내며 살아갑니다. 바쁜 일상에서도 "어떤 어려움도 나를 막을 수 없다"라는 긍정 확언을 되새기며, 우리는 모든 도전을 이겨낼 수 있다고 믿는 마음가짐은 우리 자신뿐만 아니라 주변 사람들에게도 긍정적인 영향을 줍니다.

하지만, 긍정만을 외친다고 모든 게 다 이루어지는 건 아닙니다. 짐 콜린스가 그의 저서 "좋은 기업을 넘어 위대한 기업으로"에서 말했듯이, 우리는 현실을 직시하고 거기서 무엇을 배울지를 알아야 합니다. 꿈을 향해 나아가는 길은 때때로 험난하고 도전적일 수 있습니다. 그러나 진정한 성장과 변화는 바로 이 험난한 길 위에서 일어납니다. "나는 내가 할 수 있다고 믿는다면, 어떤 일이든 이룰 수 있다"라는 긍정 확언으로 자신감을 높이는 동시에, 현실적인 문제들을 해결하기 위한 구체적인 계획과 노력도 함께 필요합니다.

감사함을 표현하는 것 또한 우리의 삶에 긍정적인 변화를 가져다줍니다. "나는 주변 사람들에게 감사하며, 그들의 사랑과 지원에 힘입어 살아간다"라는 확언은 우리가 가진 관계의 소중함을 일깨워주고, 이러한 감사의 마음은 우리뿐만 아니라 우리 주변 사람들에게도 긍정적인 에너지를 전달합니다.

하지만 기억해야 할 것은, 우리의 꿈을 향한 여정에서 "나의 꿈은 나의 원동력이며, 나의 존재 이유이다"라는 확언이 우리에게 강한 동기를 부여하긴 하지만, 이 꿈을 실현하기 위해서는 매일의 적은 노력과 지속적인 행동이 필요하다는 점입니다. 꿈을 꾸는 것만으로는 충분하지 않습니다. 그 꿈을 현실로 만들기 위해, 우리는 매일 그 꿈을 향해 조금씩 나아가야 합니다.

이 모든 과정을 통해 우리는 자신의 꿈을 실현하는 길 위에서 성장하고, 발전할 수 있습니다. 매일의 작은 긍정 확언들이 우리의 삶을 어떻게 변화시킬 수 있는지, 우리의 긍정적인 마음가짐이 어떻게 우리 자신뿐만 아니라 우리 주변 사람들에게도 긍정적인 변화를 불러올 수 있는지 기억합시다. 그리고 "나는 할 수 있다"라는 믿음을 가지고, 오늘도 내일도, 매일 꿈을 향해 한 걸음씩 나아갑시다. 그렇게 우리 각자의 꿈이 실현되는 그날까지 멈추지 않을 것입니다.

5.4. 내 묘비명을 통한 삶의 거름

묘비명이란 죽은 사람의 이름과 날짜 등을 새겨 무덤 앞에 세우는 비석을 의미합니다.

혹시 묘비명이라는 단어를 들으면 어떤 생각이 드시나요? 과거의 저는 죽음과 관련된 부정적인 이미지가 먼저 떠올랐는데요. 하지만 우리는 언젠가 죽을 운명입니다. 그러므로 현재라는 시간 속에서 최선을 다해 살아가야 합니다. 그렇다면 과연 어떻게 사는 것이 후회 없는 삶일까요? 최근에는 자신의 인생을 돌아보며 스스로 남기는 말로도 많이 쓰이고 있습니다. 저 역시 제 묘비명을 보면서 지금까지의 삶을 돌아보고 남은 시간을 어떻게 살아갈지 다짐하곤 합니다. 자신만의 묘비명이 있으신가요?

그럼 어떤 묘비명을 남기면 될까요?

제 묘비명은 정성스럽게 살다 가라고 작성되어 있습니다. 이 문구는 저의 좌우명이기도 합니다.

내가 죽을 때 누가 울어 줄 것인지
나는 어떤 사람으로 기억되고 싶은지
얼마나 많은 사람들을 구했는지
내 삶에 얼마나 정성을 들였는지

현재를 즐기고 죽음을 기억하라는 뜻으로 묘비명을 만들었습니다.

일과 삶에서 배움과 성장을 멈추지 않는 당신 우리 모두에게 선한 영향력을 미치고 우리 마음속에 잠든다는 뜻으로 사회생활 속에서 남들 눈치를 보게 되고 때로는 타인의 시선 속에서 살아가기도 하지만 그럴 때마다 다시 한번 마음을 다잡으려 하는 뜻으로 잡았습니다. 그리고 혼자만 잘 살다 가는 것이 아니라 선한 영향력을 펼치는 이가 되고 싶습니다.

누군가의 성장을 돕는 이가 되고 싶습니다.
누군가의 배움을 돕는 이가 되고 싶습니다.
내 묘비명을 보고 누군가가 궁금해한다면 무슨 말을 해주고 싶을까요?
사실 많은 사람들이 죽음 이후의 세계보다는 현실에서의 삶에 더 집중하며 살아가고 있다고 생각합니다. 그래서 만약 제 묘비명을 보고 찾아온다면 조금이라도 후회 없는 삶을 살길 바란다고 말해주고 싶습니다. 우리 모두 각자만의 방식으로 열심히 살아왔지만, 아직 하고 싶은 일이 있다면 망설이지 말고 도전하라고 응원해 주고 싶습니다.

그럼 어떻게 하면 멋진 묘비명을 쓸 수 있을까요?
나는 누구이며 어떤 일을 했는가?

나의 삶은 정녕 가치 있는가?

다른 사람들에게 선한 영향을 주었는가?

어떤 유산을 남겼는가?

죽음 앞에서 반성 없는 삶을 살았는가?

위와 같은 내용들을 정리해서 쓴다면 좀 더 멋지고 아름다운 묘비명이 되지 않을까 싶습니다.

지금까지 살아온 날 중 단 하루라도 만족스러운 날이 있었나요? 아마 없을 거라 생각됩니다. 매 순간 최선을 다해 살아왔고 그렇기에 현재의 나도 존재한다고 생각합니다. 혹시 미래의 나는 어떨지 상상해 보신 적 있으실까요? 그때까지도 항상 긍정적인 마음가짐으로 선한 영향력을 펼치며 열정적으로 살아가시길 바랍니다. 그러면 분명 멋진 미래가 기다리고 있을 것입니다.

결국 삶이란 결국 유한하므로 우리는 언젠가는 죽습니다. 그러므로 현재 주어진 순간순간을 소중히 여기고 최선을 다해야 한다고 생각합니다. 마지막 가는 길에 후회 없이 가고 싶다면 남은 날들을 소중하게 보내도록 노력해야 합니다. 이달 각자의 묘비명을 만들어보면서 스스로 돌아보는 시간을 가시면 어떨까요.

제 바인더 제일 앞장에 있는 묘비명입니다.

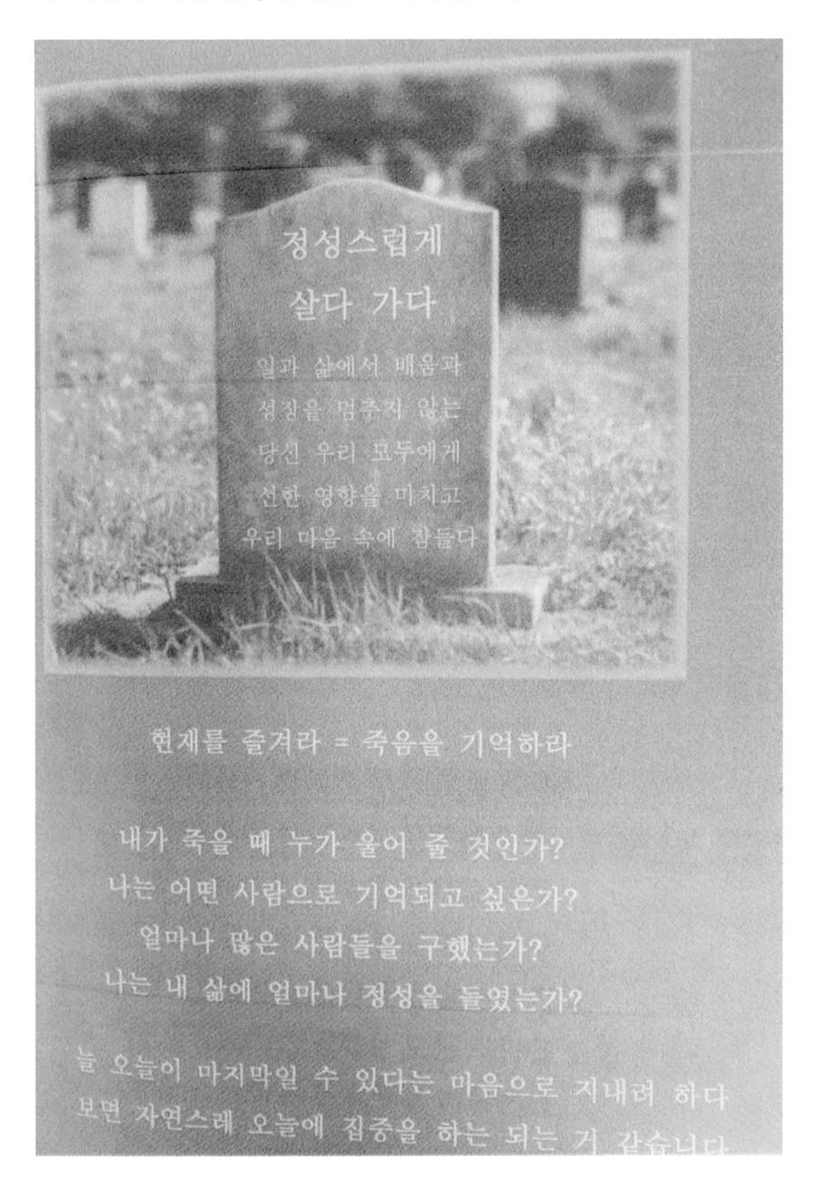

6. 미래를 미리 그리는 당신은 꼭 성공한다

6.1. 페르소나로 살지 말라

우리 삶은 마치 다양한 역할을 맡은 배우처럼, 엄마로서, 직장인으로서, 친구로서 등 여러 모습을 보여줍니다. 때로는 주변 사람들의 기대나 사회적 압력 때문에 우리 자신을 잃어버리기도 합니다. 이런 상황에서 우리는 자신이 진짜 원하는 것이 무엇인지, 진정으로 꿈꾸는 삶은 어떤 모습인지를 잊지 말아야 합니다.

"너 자신이 돼라."라는 말이 있습니다. 이 말은 우리가 살아가면서 진정한 자신을 잃지 않도록, 그리고 자신만의 꿈과 열정을 잊지 않도록 상기시켜 줍니다. 우리는 각자 독특한 개성과 능력, 꿈을 가지고 있으며, 이것들을 통해 우리만의 색깔을 세상에 보여줄 수 있습니다.

예를 들어보면, 어떤 엄마는 자신의 꿈을 뒤로하고 오로지 자녀 교육에만 집중할지도 모릅니다. 그러나 자신의 취미나 관심사의 시간을 조금이라도 할애하면서 균형을 맞추는 것이 중요합니다. 자신을 위한 시간을 갖는 것이 결코 이기적인 행동이 아니거든요. 오히려 그런 모습을 통해 자녀에게 자신의 꿈을 추구하는 모습을 보여줄 수 있으며, 자녀들도 자신의 꿈을 갖도록 격려할 수 있습니다.

직장인으로서도 마찬가지입니다. 우리는 때로 직장에서의 역할에 너무 몰두해 자신의 진정한 모습을 숨기고 살기도 합니다. 하지만 자신의 의견과 아이디어를 자유롭게 표현하며, 자신만의 방식으로 업무를 해나갈 때 더 큰 성취와 만족을 얻을 수 있습니다. 우리의 진정한 열정과 재능을 발휘할 때, 직장 생활도 더욱 빛나게 됩니다.

우리 각자는 자신만의 꿈과 목표가 있습니다. 그 꿈을 향해 나아가는 것, 자신의 삶을 자신의 방식대로 살아가는 것이 얼마나 소중한지 잊지 마세요. 우리가 매일 자신에게 "나는 내 꿈을 이룰 수 있는 능력이 있다"라고 말한다면, 그 긍정적인 생각은 우리의 삶에 큰 변화를 불러올 것입니다.

결국, 우리의 미래는 현재 우리가 하는 선택과 행동에 달려 있습니다. 우리가 지금 어떤 길을 선택하고 어떤 노력을 기울이느냐에 따라 미래의 모습이 결정된다는 것을 기억해야 합니다. 그러니 자신의 진정한 모습을 잃지 말고, 자신의 꿈과 열정을 소중히 여기며 살아가세요. 우리 각자가 자신의 길을 걸으며, 자신만의 이야기를 만들어 나가는 것, 그것이 바로 삶의 진정한 의미입니다. 우리가 진정으로 원하는 삶을 살기 위해서는, 스스로에게 솔직해져야 합니다. 우리의 진정한 꿈과 열정을 인정하고, 그것을 향해 담대하게 나아갈 준비를 해야 합니다. 이 과정에서는 두려움과 의심이 동반될 수 있지만, 우리 자신의 가치와 능력을 믿는 것이 중요합니다.

우리의 삶은 우리가 만들어가는 것이며, 우리가 원하는 방향으로 이끌어갈 수 있습니다. "자기 삶의 주인공이 돼라."라는 말처럼, 우리는 우리 자신의 삶에 대해 책임지고, 우리의 꿈을 실현하기 위한 주체적인 노력을 해야 합니다. 우리의 삶에서 우리가 만나는 모든 사람, 겪는 모든 경험은 우리가 더 나은 자신이 되도록 돕는 소중한 기회입니다.

또한, 우리의 삶은 우리가 어떻게 반응하느냐에 따라 달라집니다. 삶에서 마주치는 도전과 어려움 앞에서 용기와 긍정적인 태도를 유지하는 것이 중요합니다. 이러한 태도는 우리가 어떤 상황에서도 흔들리지 않고 꿈을 향해 계속 나아갈 힘을 제공합니다.

마지막으로, 우리는 우리 자신과 주변 사람들에게 긍정적인 영향을 미칠 수 있습니다. 우리의 긍정적인 태도와 행동은 우리 주변 사람들에게 영감을 주고, 그들도 자신의 꿈을 추구하도록 격려할 수 있습니다. 우리가 긍정적인 에너지를 발산할 때, 그 에너지는 우리 주변에 파급되어 더 많은 사람이 자기 잠재력을 발견하고 꿈을 향해 나아가는 데 도움을 줄 수 있습니다.

결국, 우리가 미래를 미리 그리고, 그 꿈을 향해 지금부터 담대하게 나아간다면, 우리는 반드시 성공할 것입니다. 우리의 꿈과 열정을 따라가는 여정 자체가 이미 성공의 길입니다. 그러니 두려워하지 말고, 자신의 꿈을 향해 한 걸음씩 나아가세요. 미래의 당신은 현재의 당신이 선택하고 노력하는 모든 순간으로부터 만들어집니다. 우리 모두 자신의 꿈을 향한 여정에서 최선을 다해, 더 행복하고 의미 있는 삶을 만들어갑니다.

6.2. 자신의 게으름을 뛰어넘는 방법

우리 삶에서 자주 마주치는 큰 장애물 중 하나는 바로 자신의 게으름을 극복하는 것입니다.
팀 페리스의 "타이탄의 도구들" 책에서는 세계적으로 성공한 사람들이 어떻게 일상에서 특별한 습관과 루틴을 통해 자신의 게으름을 극복하고 큰 성공을 거둘 수 있었는지를 보여줍니다. 이 책의 핵심 키워드 중 하나인 '환경 설계'는 우리에게 중요한 교훈을 제공합니다.

환경 설계의 개념을 이해하기 위해, 나 자신의 경험을 예로 들어보겠습니다. 과거의 저는 게으름이 많았고, 이에 인해 많은 시간을 낭비했습니다. 아침에 일어나자마자 침대를 정리하는 습관이 없었기 때문에, 그냥 누워서 시간을 보내곤 했습니다. 이것은 주말 내내 아무것도 하지 않고, 결국에는 시간을 낭비하게 했습니다. 이러한 악순환을 끊기 위해 저는 환경 설계의 중요성을 깨달았습니다.

환경 설계를 통해 변화를 만들기 시작했습니다. 예를 들어, 아침에 일어나자마자 침대를 정리하고, 운동복을 미리 준비하여 운동할 준비를 했습니다. 또한, 책을 읽고 싶은 욕구를 느끼게 하려고, 거실 테이블 위에 관심 있는 책을 펼쳐 놓았습니다. 이러한 작은 환경의 변화들이 저를 더 활동적으로 만들고, 게으름을 이기는 데 큰 도움이 되었습니다.

하지만 환경 설계만으로는 부족합니다. 의지력도 매우 중요합니다. 의지력이 없다면, 아무리 좋은 환경을 만들어놓아도 그 환경을 활용하지 못할 것입니다. 그러므로, 저는 매일 아침 긍정적인 자기 확인을 하며 하루를 시작합니다. "나는 할 수 있다.“, "나는 오늘도 내 꿈에 한 걸음 더 다가설 것"과 같은 긍정적인 문장들은 저에게 동기를 부여하고, 하루를 더욱 생산적으로 보낼 수 있도록 도와줍니다.

<중요한 건 해설자가 아니다.
강자가 어떻게 비틀거리는지 분석하며 해설하는 사람은 중요하지 않다.
진짜 중요한 사람은 실제로 경기장에서 뛰는 투사다.
얼굴에 먼지를 뒤집어쓰고 피와 땀으로 범벅이 된 사람에게 공이 돌아간다.
그들은 용맹하게 싸우다가 실수하며 거듭 곤경에 빠진다.
모름지기 노력을 쏟다 보면 실수도 하게 되고 약점도 나오기 마련이다.
하지만 그들은 실제로 치열하게 행동하고 있다.
그들은 탁월한 열정과 불굴의 집념을 알고 있다.
그들은 고귀한 사명에 투신한다.

최상의 경우 그들은 승리의 기쁨을 맛본다.

하지만 최악의 경우 패배해도 적어도 대담하게 싸우다 지는 것이다.

그래서 그들의 자리는 승리나 패배를 전혀 모르는 겁쟁이들의 자리와 다르다.> 시어도어 루스벨트 Theodore Roosevelt

시어도어 루스벨트의 말처럼, 진정 중요한 사람은 경기장에서 실제로 뛰고 있는 투사입니다. 우리도 우리 삶의 경기장에서 뛰는 투사가 되어야 합니다. 게으름과 싸우고, 어려움을 극복하며, 꿈을 향해 나아가야 합니다. 우리의 노력과 헌신이 결국 우리를 원하는 목표에 도달하게 할 것입니다.

마지막으로, 자신의 게으름을 극복하는 것은 하루아침에 이루어지는 것이 아닙니다. 지속적인 노력과 인내, 그리고 자신에 대한 믿음이 필요합니다. 하지만 조금씩 변화를 시도하다 보면, 어느새 우리는 자신의 게으름을 이겨내고 목표를 향해 한 걸음씩 전진하는 자신을 발견하게 됩니다. 우리가 매일 조금씩 자신의 환경을 바꾸고, 의지를 강화하며, 긍정적인 태도를 유지한다면, 우리는 점차 게으름을 뛰어넘는 힘을 갖게 됩니다.

우리는 또한 실패와 실수를 두려워하지 않아야 합니다. 실패는 성공으로 가는 길에 있어 필수적인 부분입니다. 우리가 실수에서 배우고, 그 경험을 통해 더 나은 사람이 되면, 우리는 결국 우리의 꿈을 실현할 수 있습니다. 중요한 것은 실패를 통해 교훈을 얻고, 그것을 통해 더 강해지는 것입니다.

또한, 우리 주변 사람들과의 관계도 우리의 게으름을 극복하는데 도움이 될 수 있습니다. 긍정적이고 동기를 부여하는 사람들과 시간을 보내면, 우리도 그들로부터 영감을 받고, 우리의 목표를 향해 더 열정적으로 나아갈 수 있습니다. 반면, 우리의 에너지를 빼앗고, 우리를 게으르게 만드는 사람들로부터는 거리를 두는 것이 좋습니다.

자신의 게으름을 극복하는 것은 우리 자신의 책임입니다. 우리는 우리의 삶을 적극적으로 조종할 힘을 가지고 있습니다. 우리의 삶은 우리의 선택과 행동으로 결정되므로, 우리가 어떤 선택을 하고, 어떻게 행동하느냐가 우리의 미래를 만듭니다.

그러므로, 우리는 모두 자신의 게으름을 뛰어넘고, 꿈을 실현하기 위한 길에 용감하게 나아가야 합니다. 매일 조금씩이라도 자신을 개선하고, 자신의 목표에 한 걸음씩 다가서면, 우리는 결국 우리가 원하는 삶을 살게 될 것입니다. 우리의 노력, 인내, 그리고 긍정적인 태도가 우리를 성공으로 이끌 것입니다. 우리는 모두 자신의 꿈을 실현할 수 있는 능력이 있으며, 그 꿈을 향해 나아갈 때 우리는 진정으로 행복해질 수 있습니다. 우리의 삶은 우리의 손에 달려 있으니, 오늘부터 게으름을 뛰어넘어 꿈을 향해 나아가 봅시다.

TALKING OUT
내가 진정으로 이루고 싶은 것은 무엇일까?

옛날에, 거북이와 토끼가 있었습니다. 첫 번째 경주에서 토끼는 자만심 때문에 결국 패배했습니다. 하지만 이 이야기는 여기서 끝나지 않았습니다. 토끼는 자신의 실패에서 교훈을 얻고, 다시 한번 거북이에게 재경주를 신청했습니다.

이번에 토끼는 교만하지 않고 준비를 철저히 했습니다. 매일 연습하고, 자신의 꿈을 실현하기 위해 전념했습니다. 한편, 거북이도 자신만의 속도록 꾸준히 준비했습니다.

재경주 당일, 두 참가자는 출발선에 섰습니다. 이번에 토끼가 처음부터 끝까지 리드를 유지하며 결승을 통과했습니다. 거북이도 최선을 다했지만, 이번에는 토끼가 승리했습니다.

이 우화에서 우리는 꿈을 실현하기 위해서는 실패에서 배워야 하며, 준비와 끈기가 필요하다는 교훈을 얻을 수 있었습니다. 토끼는 실패를 경험한 후 교만하지 않고 자신의 목표를 향해 노력했으며, 결국 승리를 거두었습니다. 꿈을 향해 나아가는 이 이야기는 항상 순탄하지는 않지만, 끊임없는 노력을 통해 꿈을 실현할 수 있다는 교훈을 전달합니다.

에필로그: 나만의 진정한 꿈에 도전하고 성취할 이 시대 모든 엄마를 응원합니다

나만의 진정한 꿈에 도전하고 그것을 성취하기를 바라는 이 시대의 모든 엄마, 그리고 꿈을 꾸는 모든 이들에게 전하는 응원의 메시지를 다시 한번 강조하고 싶습니다. 일상에서 우리는 종종 자신의 소망과 꿈을 잊기 쉽습니다. 하지만, 여러분 각자가 무한한 가능성을 지닌 소중한 존재라는 것을 절대 잊지 말아야 합니다.

"꿈의 크기는 중요하지 않다. 중요한 것은 그 꿈을 향해 나아가는 당신의 용기다." 이 말은 스티븐 킹의 "라이팅"에서 나온 문구와도 맥을 같이 합니다. 그는 말합니다, "소설가가 되고자 하는 꿈을 가진다면, 당신은 단지 그 꿈을 꿀 뿐만 아니라, 실제로 글을 쓰기 시작해야 합니다." 이처럼 꿈을 이루기 위해서는 단순히 꿈을 꾸는 것을 넘어서 실제로 행동으로 옮겨야 합니다.

예를 들어, 한 엄마가 있습니다. 그녀의 오랜 꿈은 화가가 되는 것이었습니다. 하지만 일과 가정의 책임으로 인해, 그녀는 자신의 꿈을 잠시 접어둔 채로 살아가고 있었습니다. 그러던 어느 날, 그녀는 집 안 한쪽 벽에 작은 그림 공간을 마련하기로 했습니다. 이 작은 변화는 그녀에게 큰 영감을 주었고, 매일 조금씩 그림을 그리기 시작했습니다. 시간이 지남에 따라, 그녀는 자기 작품을 전시할 기회를 얻었고, 마침내 그녀는 오랫동안 꿈꿔왔던 화가로서의 길을 걷기 시작했습니다.

이 이야기에서 우리가 배울 수 있는 것은, 꿈을 향한 첫걸음은 작은 행동에서 시작된다는 것입니다. 그리고 그 작은 시작이 결국 큰 성취로 이어질 수 있습니다.

또한, J.K. 롤링의 "해리 포터" 시리즈에서도 영감을 얻을 수 있습니다. 그녀는 "우리의 선택이 우리가 진정으로 누구인지를 보여준다. 우리의 능력이 아니다."라고 말했습니다. 롤링의 말은 우리에게 자신의 꿈을 이루는 것이 어떤 능력을 갖추고 있느냐보다는, 그 꿈을 향해 나아가기로 선택하는 우리의 용기와 결정에 달려 있다는 것을 상기시켜 줍니다.

이처럼, 여러분의 꿈을 향한 여정은 용기와 결정, 그리고 행동에서 시작됩니다. 여러분이 매일 작은 변화를 시작하고, 그 변화가 모여 결국 여러분의 꿈을 이루는 큰 성취로 이어질 것입니다. 여러분의 꿈이 여러분을 더 큰 성취와 만족으로 이끌 것이며, 그 과정에서 여러분은 진정한 자신을 발견하게 될 것입니다.

마지막으로, 여러분의 여정이 단순히 개인적인 성취에만 그치지 않는다는 점을 기억하세요. 여러분이 꿈을 향해 나아가면서 겪게 될 모든 경험, 그리고 그 과정에서 발전하는 여러분 자기 모습은 주변 사람들에게 긍정적인 영향을 미치고 영감을 줄 것입니다. 여러분의 꿈을 향한 열정과 노력은 가족, 친구, 자녀 그리고 지역사회에까지 퍼져 나가며 더 많은 사람이 자신의 꿈을 추구하도록 동기를 부여할 수 있습니다.

그리고 잊지 마세요, 여러분의 꿈을 향한 여정은 때로는 외롭고 어려울 수 있지만, 여러분은 결코 혼자가 아닙니다. 세상에는 여러분과 같은 꿈을 꾸며 도전하는 수많은 사람이 있으며, 그들과 함께 지식을 공유하고, 서로를 응원하며 함께 성장할 수 있습니다.

또한, 여러분이 꿈을 향해 나아갈 때, 실패와 좌절도 불가피하게 마주치게 될 것입니다. 하지만 이러한 실패와 좌절조차도 여러분을 성장시키는 중요한 부분입니다. 토머스 에디슨이 말했듯, "나는 실패한 것이 아니다. 나는 단지 1만 가지 방법을 발견했을 뿐이다. 그것은 작동하지 않을 뿐." 실패는 여러분이 꿈을 향한 여정에서 배울 수 있는 중요한 교훈을 제공하며, 결국은 여러분을 더 강하게 만들 것입니다.

이 모든 것을 마음에 담고, 여러분 각자가 지닌 독특한 꿈과 열정을 소중히 여기며 나아가세요. 꿈을 향해 나아가는 과정에서 여러분이 겪게 될 모든 경험은 결국 여러분을 더욱 멋진 사람으로 만들어 줄 것입니다. 여러분의 꿈이 이루어지는 그날까지, 절대 포기하지 마세요. 여러분의 꿈은 반드시 이루어질 것이며, 그 여정은 여러분에게 무한한 행복과 성취감을 가져다줄 것입니다.

그러니, 나만의 진정한 꿈에 도전하고 성취할 이 시대 모든 엄마, 그리고 꿈을 꾸는 모든 이들이여, 용기를 가지고 나아가세요. 여러분의 꿈을 향한 여정은 여러분이 생각하는 것보다 훨씬 더 아름답고 의미 있습니다. 함께, 더 나은 내일을 향해 나아갑시다. 여러분 모두에게 무한한 응원과 행운이 함께하기를 진심으로 바랍니다.

포기를 먼저 하는 엄마보다 도전을 먼저 하는 엄마가 되고 싶습니다.
도전을 두려워하기보다 도전을 통해 성공하는 엄마가 되고 싶습니다.

그리고 엄마의 역할과 나 자신을 찾는 여정을 통해 진짜 나의 꿈을 찾고 미래를 제대로 준비하는 사람이 되고 싶습니다. 그것의 시작은 내 꿈에서부터 시작됩니다. 비록 저희 엄마는 자신의 꿈을 이루지 못하였지만, 저는 제 꿈을 이루고 자 합니다. 엄마 꿈을 대신 꾸려는 게 아닙니다. 진짜 나를 찾는 과정을 통해 꿈은 이루어집니다.

지금까지 엄마의 이야기지만 이 책은 모든 사람에게 해당하는 이야기입니다.
우리는 모두 여전히 더 나은 미래를 꿈꾸며, 그 꿈을 향해 달려가고 있습니다. 여러분의 꿈은 자신을 더 큰 성취와 만족으로 이끌어 줄 것입니다. 무엇보다도, 여러분의 꿈이 이 세상을 더 아름답고 풍요롭게 만들어 갈 것이라 믿습니다.

이 글을 마치며, 나만의 진정한 꿈을 찾아 나서고 성취할 이 시대의 엄마들에게 무한한 행운과 성공, 그리고 행복이 함께하기를 진심으로 기원합니다.
여러분, 당신은 멋지고 강한 여성이자, 꿈을 이루어 나가는 주인공입니다. 함께 꿈을 키우며 더 나은 미래를 향해 나아가보세요!

일상 속에서

발견하는 나만의 길

발행일: 2024년 3월 15일

지은이: 김상미(SM코치)